おいしい経済

世界の転換期
2050年への
新・日本型ビジョン

カフェ・カンパニー
代表取締役社長
楠本修二郎

発行：（株）JBpress
発売：（株）ワニブックス

はじめに
2050年を読み解くヒントは「食」にある

2020年5月。

誰もいない渋谷・キャットストリートを眺めながら、わたしは不思議な感覚に浸っていました。『カフェ・カンパニー』という社名のせいでしょうか、ストリート沿いにあるわたしたちのオフィスには、外国人を含めた観光客が毎日20〜30人、カフェだと思ってふらりと入ってくるのが日常でした。しかし今はまったく人の気配がありません。まるで街全体がいきなり神隠しにあったようでした。

わたしは2001年に創業して以来、日本全国やアジアで展開するカフェ・カンパニーという会社を経営しています。この社名には「CAFE = Community Access For Everyone」、つまり食を通じてあらゆる生活者が集うコミュニティを創造しようという企業理念を込めています。

コミュニティとは時代の変化によって、求められるカタチが変わるものです。渋谷の東急東横線高架下に『SUS -Shibuya Underpass Society-』という飲食店を作ることから始まった当社は、その後様々なリノベーション物件を手がけたり、商業施設内への飲食店の出店、サービスエリア、ホテルなど、日本国内外において、延べ100店舗以上のコミュニティの事例をつくってきました。

これからも「食」を通じてコミュニティをつくっていく。

これがわたしの使命であり、天職だと思ってます。それを一生の仕事としてどのように進めていくか。時代の風を感じ取りながら、次の「食」からはじまるコミュニティをいかに発展させていくべきなのかをずっと思案してきました。

想像したのは2050年です。このとき、日本はどうあるべきか。いまより地域に根付いたコミュニティをつくり続けながら「これまで縦割りだった食産業を横につないでコミユニティ化させて世界に貢献する」。そんなことをこれからの仕事にしたいと思う中で迎えた２０２０年の新型コロナウイルスによるパンデミックでした。

パンデミック後の日本はどうなる？

外食。ホテル。エンターテインメント。

これらの業界は、日本政府が進めてきた「観光立国化」という成長戦略の柱でした。本来なら毎年膨らみ続ける巨大なインバウンド市場を背景に、２０２０年の東京オリンピック・パラリンピック、２０２５年の大阪・関西万博を呼び水として多くの外国人観光客を呼び込むことと連動し、経済の活性化を担っているはずでした。しかしそのビジョンは新型コロナウイルスによるパンデミックによって、もろくも崩れさろうとしています。

ウイルスが上陸してすぐの２０２０年4月から5月。わたしは政府や東京都に対する嘆願書を提出しました。それまでも経済産業省の『クール・ジャパン官民有識者会議』をはじめ、政府委員のひとりとして提言をしてきましたが、このときほど強い危機感を持ったことはありません。これはもはや自分の会社が心配であるとか、飲食業界が大損害を受ける、といった身の回りの問題を超えた、緊急事態。

未来の日本の姿を左右する有事だ、と考えたからです。

嘆願書で訴えたのは、日本が持つ素晴らしい資産を失わず、むしろ有効に活用するビジョンの必要性です。

外食・ホテル（観光）・エンターテインメントなどの文化産業は、人口減少・高齢化を続ける日本でこの先数十年にわたり、インバウンドを通じて経済や生活を支えていく役割を担うとわたしは認識していました。

世界を見渡すと、観光で不動の人気を誇るヨーロッパには、スペインやフランス、イタリアなど人口よりもインバウンドの数が多い国がいくつもあります。食糧自給率が高く、インバウンド観光の比率が高い国は豊かに暮らしやすいのです。四季があり、自然が豊かな日本はそうなるポテンシャルを持っているため、今しっかりと文化産業を強くしておけば、今後さらに人口が減ったとしても人々は活気を失わずに生きられる、と考えてのことでした。そんな未来への資産が今、かつてない危機に瀕している。

わたしは様々な事例、データ、そして20年間続けてきた飲食店の経営などをベースに、国をあげた戦略として文化産業の支援を、と強く訴えました。

コロナ禍で見えた、各国の文化の捉え方

興味深いのは、世界でほぼ同時期にパンデミックが起こったことで、国の文化産業に対する姿勢の違いが浮き彫りになったことです。

アメリカ

アメリカはロックダウンを行うと個人飲食店の75％が潰れ、今後3カ月で飲食業界に約24・5兆円の喪失が発生する（2020年3月時点）という試算が出るやいなや、すぐさまペイチェック・プロテクション・プログラム（PPP）という給与保護プログラムをつくりました。これは一定の要件のもとで、従業員の給与や光熱費、店舗家賃に使った分の借入金は返済を免除する、という給付金に近いものです。その最大の特徴は支払いをする前に申請できること。つまり従業員の雇用を守りつつ、事業主のリスクにもコミットしたのです。

ドイツ

連邦政府は、芸術・文化領域を含む自営業者や零細企業に対して約6兆円を拠出、さらに生活維持を目的として個人に向けて約1・2兆円の支援も実施しました。また、当座の資金とするための助成金（3カ月の上限約108〜180万円）や融資（約360万円以上）制度を整備。

フランス

「戦時に匹敵する状況」という見解を示したフランスは、法定最低賃金の4・5倍を上限に、給与の100％補償を行いました。一方で、家賃や光熱費の補償については「支払い猶予を呼びかける」だけに留まったため、街に活気が戻ってきたのに店を失ってしまった、という事業主が出ています。

その他ヨーロッパ諸国

イギリス、イタリアでは芸術を支援する機関や基金を設立し、手厚く支援する政策を矢継ぎ早に実施しました。観光立国スペインは積極的に飲食店やホテルの雇用保護を充実させたため早期に経済が復活しています。

これらの例から伝わってくる視点は、サスティナビリティの重要性です。有事が明けてさあ復興というとき、一から環境を整えるには大きなコストと労力が発生します。今回のコロナ禍でいち早く文化産業に対する施策を打ち出したのは、ほとんどが欧米社会でしたが、彼らは「せっかく培ってきた文化を守らないと、永遠に失われてしまうかもしれない」ということを迅速に判断し、行動に移したのです。そういった文脈で捉えると、雇用を守ることで職人の技術を温存しながら、国の文化までも維持したアメリカのPPPは優れた対策だと言えます。

アメリカの対応が素早かった理由は、食やエンターテインメントといった文化産業は国の「資産」であるという揺らがぬ位置づけがあるからです。もしニューヨークのレストランや劇場が潰れたら、この先アメリカ観光もなにもあったものではない、今支えなくてどうする？　と彼らは瞬時に判断できた。だから大胆な予算を割いた政策を臆せず実行できたのです。

ドイツ政府は、財政出動を行う際に「アーティストは必要不可欠であるだけでなく、生命維持に必要だ」と見解を述べ、文化産業への支援を「文化的・政治的最優先事項」と明言しましたが、ほかにも様々な国のリーダーが文化芸術に対する支援のメッセージを発信しました。

共通するのは、「自分たちの未来に何を残せば豊かな社会をつくれるのか」という視点が明確だということです。

一方、日本の対応はどうだったでしょうか。

2020年度の予算で見ると、飲食店に対しての支援に1兆7000億円、中小企業に対する支援給付金として4兆2500億円、家賃補助に2兆円、その他文化産業の事業者に対する支援金など様々な対策を講じています。それによって助けられた事業者は数多く存在します。しかし、緊急事態宣言は「ギリギリまで引っぱって延期」の連続。その効果の検証や営業制限の根拠となるエビデンスの提示もなく、場当たり的な対応に事業者が振り回されている感は否めません。未来に種をまくはずだった飲食・観光・文化産業は苦境に陥ったままです。

繰り返しますが、これは「飲食業だけの問題」ではありません。食と文化、生活を通して、わたしたちが社会にどんな姿を描いていくのか、つまり「わたしたちの豊かな未来の問題」なのです。日本に必要なのは、今ある文化や資産を守り、どのように豊かな未来へつなげていくのか、という戦略的なグランドビジョンなのです。

日本は次の30年をまた「失う」のか

「オリンピックが来る」「インバウンドで景気が上向く」。

ここ10年、日本社会はなんとなく2020年を見つめて進んできたように感じます。だからこそ予期せぬパンデミックに足をすくわれてしまった。しかし海外では多くの国が2050年以降の社会を見つめて動き出しています。コロナ禍での対応が早かったのも、目指すビジョンがすでにあり、そこから逆算して「今やるべきこと」を導き出すからです。

くしくも日本には「失われた30年」という反省すべき過去があります。今から30年後の2050年に、同じ言葉が叫ばれるようでは、「豊かな未来」とは言えません。今の日本のリーダーたちの多くは、２０５０年に90代となっているでしょう。日本の未来を背負う若い世代が中心となり、２０５０年以降の社会を今こそ構築しなければなりません。

世界の動きと比較すると、30年後の日本はどうも先行きが見えない、という不安を感じるかもしれません。ですが、わたし自身は２０５０年の日本にとてもポジティブなビジョンを描いています。その理由は、日本には他国が真似できないポテンシャルがあり、世界の未来を変えられる可能性を秘めた「食」というとてつもない資産があるからです。

これからの社会で必要とされる「自然との共生」や、「多様性」を尊重し育む姿勢は、日本がすでに「食」を通して経験し、身につけてきたお家芸とも呼べる分野です。「食」には未来の経済を牽引する潜在力があり、「食」の力を活用すれば、日本に暮らすわたしたち一人ひとりがより豊かで、クリエイティブな生活を送れる可能性に溢れている。日本の「食」と、それを取り巻く生態系は、わたしたちが未来へ残すべきアセットであり生命線なのです。

わたしたちは「世界一おいしい国」に生きている

「楠本は外食産業にいるからそんなことを言うんだろう」という声が聞こえてきそうです。もちろん「食」で仕事をさせていただいているものとして「食」への愛と誇りが強いのは事実ですが、根拠はそれだけではありません。詳しくは本文に譲りますが、事実として、今、日本の「食」は世界から注目されています。

海外から来日する観光客の多くが「おいしいものを食べる」ことが目的なのは有名ですが、日本は『ミシュランガイド』の星を最も多く保有する国で、特に東京は星の総数でも三つ星の数でも、ミシュランの本家であるパリを大きく上回っています（図1）。

日本食の店が評価されるのはもちろんのこと、フレンチやイタリアンなど外国料理で多くの日本人シェフが腕を振るい、星を獲得しているのも日本の特色です。ミシュランに限らず『パスタ・ワールド・チャンピオンシップ』や『世界ピッツァ選手権』など、国際的な料理のコンペティションで世界一に輝いた日本人は枚挙にいとまがありません。日本は世界各国の味をさらにおいしく進化させる国と言えるのです。

■ 図1:各都市のミシュランの星付きレストラン数

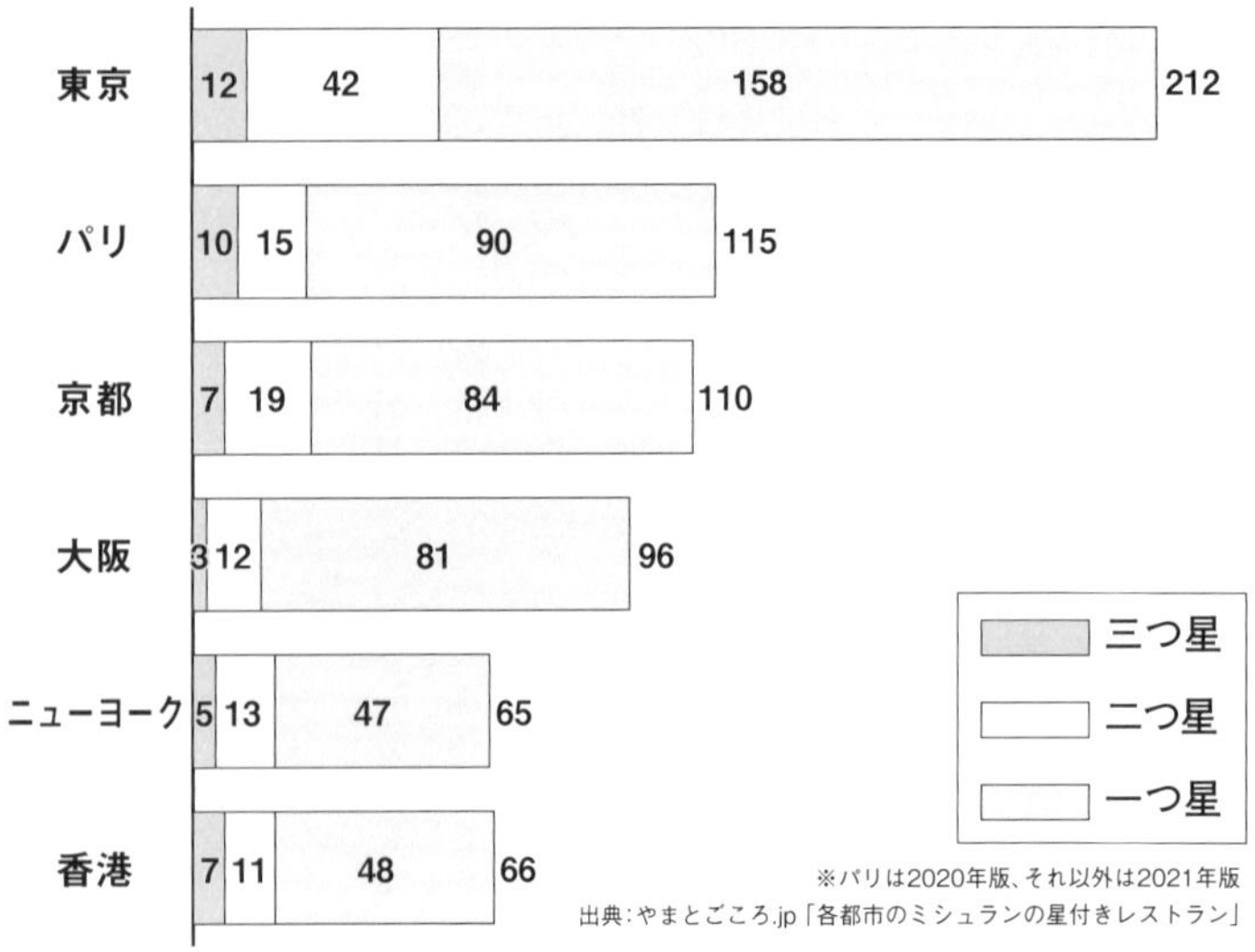

※パリは2020年版、それ以外は2021年版
出典:やまとごころ.jp「各都市のミシュランの星付きレストラン」

また、日本には海山の幸が豊富なうえ、四季折々の旬の食材もあります。優れたサプライチェーンもあるため、それらをフレッシュな状態で食べることも容易ですし、保存食から発展した発酵技術も旨みに広がりをもたらしています。ほかにも、伝統料理や郷土食など地域によって異なる食文化の多様性に、調味料や加工食品をつくる工場の「調味の技術」の高さなど、日本の食の良い点を数えていてはきりがありません。

これら日本がもともと持つ「おいしい」技術に加え、ヘルシーでかつ肉中心の食事よりも環境に対する負担が低い、という点も世界の国々からリスペクトを集めています。海外の日本食レストランの数は２００５年当時で約２・５万軒でしたが、２０１０年に５万軒となり、２０２０年にはなんと15万軒にまで膨らんでいます。

慶應大学の教授でありデータサイエンティストの宮田裕章さんは、「現代日本の食は14〜16世紀にイタリアで始まったルネサンスに匹敵する程の文化だ」と表現されています。だとすれば、いかにしてこの食文化をこれから先「数百年継続する日本の優位性」として残し、発展させていくべきかを国をあげて真剣に取り組まなければなりません。

世界人口が爆発的に増えると予想されるこれからの未来を考えると、食は世界的な成長産業と言えます。その中で高い技術、伝統を持った日本の食文化は強力な武器となるのです。

しかし、現状では食という「資産」がもたらす可能性に気づいていないため、自然環境や、農業・漁業に関する知見、調味技術など、食にまつわる資源の喪失・流出を招いています。「失われた30年」のようにこのままビジョン無き30年を過ごしてしまうと、食に関連する多くのアセットは、おそらくこの数年以内に継承されないまま静かに消えてゆく「サイレント・デス」を起こすでしょう。

「おいしい未来戦略」で日本の未来を描こう

では、いかに日本の食という資産を活用するのか。

それを考えるうえでひとつ重要なポイントがあります。ビジョンの共有です。先に触れましたが、欧米社会にはビジョンがあり、だから素早い対応ができた。

同じように日本もビジョンを持たなければいけません。わたしはこれを日本の「おいしい未来戦略」と名付けました。「おいしい経済大国」への道を明示することが、脱成長時代と言われる日本における、未来への成長戦略なのです。

本書では、日本の「おいしい」を経済戦略と社会課題解決のキーファクターと捉えることで、人口が減少する日本で人々が幸せに暮らすための骨格をつくる。そして「おいしい」の力で日本が主導権を握り、世界の未来に貢献していく。わたしが経験し、知りうる事実やデータをもとにそのためのビジョンを示していきます。

第1章では、日本と世界がこれからどういう社会課題を抱えていくかについて、データや統計に基づいてまとめます。

第2章では、日本が「世界一おいしい国」である根拠と、その実力を紹介します。

第3章は、世界の国々が進める食戦略について概説します。

第4章では、それらを踏まえて、「おいしい」が日本をどう豊かにするのか。様々な課題を解決し、心と体と社会の健康を実現し、生き生きと暮らすための指針を具体例と一緒に示していきます。

そして第5章は、わたしから2050年以降の世界を生きる人たちに向けたメッセージです。わたしが現在取り組んでいる活動を含め、若い世代がのびのびとクリエイティブに食の世界に携わるための仕組みについてもご説明します。


泣いても笑っても、必ず未来はやってきます。どうせなら楽しい未来にしたいですし、ただ見ているだけより、それを一緒につくるほうがきっと楽しいはず。

「おいしい」がおりなす、ポジティブな未来への旅を始めましょう。

目次

第2章

日本の強みは「世界一おいしい国」であること

海外から関心を集める日本の食

なぜ日本が「世界一おいしい国」になったのか

第3章

世界は「おいしい」をどう生かしているのか

第4章 おいしい未来戦略——食は課題解決型成長戦略だ

第5章 2050年の世界をつくる君へ

第1章

2050年の世界と日本

30年後、世界や日本が抱えている課題にはどんなものがあり、「食」とどんな関係があるのか。まずはデータをもとに、私たちの「今」を見直してみましょう。

食からみるファクトフルネス

2050年がやってくるのは約30年後。

「失われた」と言われたのが今日までの30年間。

近い未来をどういう社会にしたいかビジョンを描き、そのうえで今何をすべきか考えるために、まずはこれまでの30年を日本がどう歩んできたかを振り返ってみましょう。

失われた30年はなぜ訪れたのか

今から30年前の1991年。

未曾有の好景気を約4年間日本にもたらしたバブル経済が崩壊した年です。

崩壊が報じられた当初は、「もう一度バブルよ来い」「右肩上がりをもう一度目指そう」

といった楽観ムードがまん延していました。日本の土地価格は下がらない、という「土地神話」がまことしやかに語り続けられ、これから産業構造を変革していかねばならないという事実を世間の多くは深刻に受け止めていなかったことを記憶しています。

しかし1997年に山一証券が廃業、俗に言う「山一ショック」が起こった頃から風向きが変わり、国民はようやく「このままではまずい」という危機感に直面しました。

同じ頃、日本にやってきたのがインターネットの波です。次の一手が見えずにもがくなか、社会にもたらされた新しいテクノロジーにわたしたちは夢中になり、1999年〜2000年にかけてインターネット関連企業の株価が高騰する「ITバブル」も起こりました。パソコンは一気に普及して、ネットショッピングも浸透。私たちがカフェを営む渋谷もビットバレーと呼ばれるようになり、日本のITビジネスは発展を迎えましたが、かつて世界にイノベーションをもたらした日本製のクルマや家電のような、画期的かつ創造的な技術が日本のインターネット関連業界から生まれることはなかったように感じられます。

平行して、1990年代後半から2000年頃は、バブル崩壊のあおりを受けた「超氷河期」と呼ばれる就職難の時代に突入。団塊世代に次いで人口の多い、団塊ジュニア世代の就職難民や非正規雇用者が増え続けました。日本の少子高齢化は、本来人口を維持してくれるはずだったこの世代に有用な雇用対策を行わなかったことが大きく影響しています。

そして２００８年、リーマンショックが起こりました。あのとき、誰もが行き過ぎた資本主義によるアメリカの後退を予想したことだと思います。同時に日本の「三方良し」的な商いへの姿勢が再評価されることになると期待した人も多かったのではないでしょうか。しかし逆に、アメリカではその時代の変化を感じとるやいなや、ニューヨーク・ブルックリンからクラフトマンシップというキーワードとともに、様々な食やデザインのブランドが登場していきました。また、西海岸発の「ＧＡＦＡ」の隆盛はみなさんの知る通りです。

一方で、日本では国をこれからどう成長させるか、という長期的かつ、明快な「ビジョン」は示されないまま、短期的な経済対策に奔走した10年だったと言えるでしょう。そして「はじめに」で触れた「観光立国化」というビジョンがようやくまとまり始めた矢先の２０２０年、新型コロナウイルスがやってきた。

ここが、わたしたちが立っている「今」です。

ちなみにカフェ・カンパニーは２００１年に創業しました。失われた30年のど真ん中にいて感じた日本の決定的な問題点は、やはりビジョンの不足に尽きると思います。目の前の問題解決に終始するばかりで、未来に向けたビジョンを描いたうえで、具体的な行動指針を国民に示してこなかったという「無作為」こそ、私たち大人が大いに反省しなければなりません。日本には「GAFA」もなければ、エネルギー自給率も大変低い。昨今、ITやデジタルトランスフォーメーション（DX）が重要であるという議論が活発ですが、それは社会変革のための方法論に過ぎません。未来への成長を促す日本独自のコンテンツとして見渡した時、最もハイコンテクストなものとして賞賛され、観光、エンターテインメント、家電など、あらゆる産業に連動しやすく裾野が広いものが「食」なのです。今こそ「食」でビジョンを示したい。その道筋を解明するために、まずは数字やデータからその理由を示したいと思います。

数字から未来を予測してみる

失われた30年の過ちを繰り返さないため、未来の姿をファクトベースで捉えてみましょう。そこにはどのような現実があり、どのような課題が存在しているでしょうか。

■ 図2:日本の人口推移予測

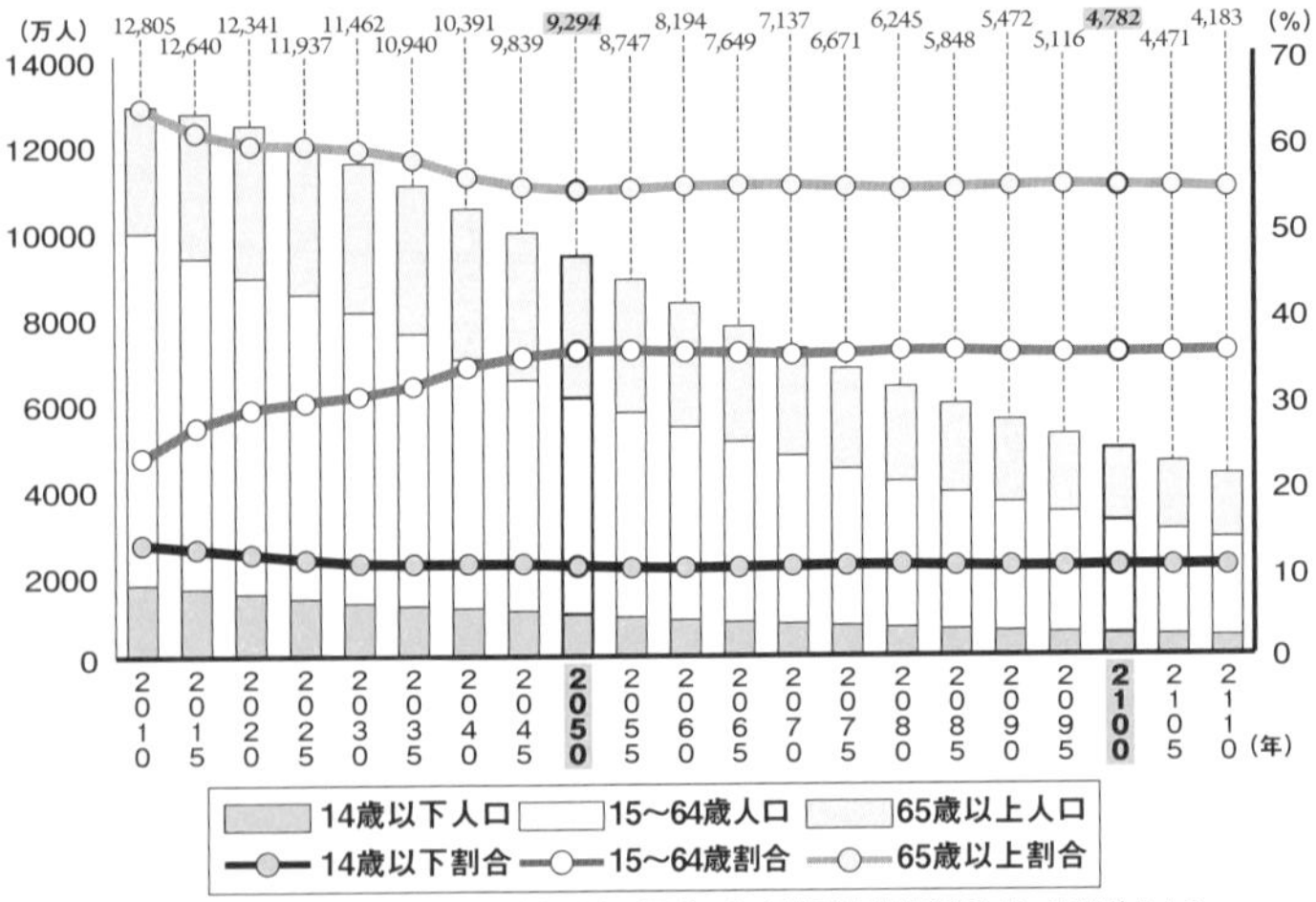

出典:国立社会保障・人口問題研究所「日本の将来推計人口(平成24年1月推計)」(出生率死亡率一定推計)による
※各年10月1日現在人口.平成22(2010)年は,総務省統計局『平成22年国勢調査による基準人口』(国籍・年齢「不詳人口」をあん分補正した人口)による

まずは30年後、2050年の日本はどうなっているでしょう。30年後と言えば、今の大学生がちょうど50代前後の働き盛りになっている頃です。

人口は今より約3000万人減り、約9千300万人になっていると想定されます(図2)。人口構成の内訳を見ると「1・3人の現役世代が1人の高齢者を支える」という著しい不均衡で、以降は労働人口がどんどん先細り、長い時間をかけて減少を続けます。日本が少子高齢化で人口を減らしていく反面、世界は2045~2050年に向かって100億人という人口爆発のピークへと向かっていきます。このとき、どう地球環境を保全するか、増える人口分の食料をどう確保するかといった問題が現在よりも深刻化しているでしょう。

また、AIが人類の知性を超える「シンギュラリティ」が2045年前後に到来する、と言われています。人工知能の進化が社会にどのような変化を与えるかは未知数です。

さらに時間軸を広げ、100年前と100年後の世界を見てみましょう。日本の人口は2100年には約4800万人前後になると予測され、100年前、大正時代の人口と変わらない規模になるとされます。

この数字を見ると、**「右肩上がり」を求め続けるのにはもう無理がある。人口減少時代に合った、新しい社会をつくらなければいけない。**わたしたちはそういう時代の転換点にいることを「今」しっかりと認識し、意識を改めなければいけないことがわかります。

日本の少子高齢化と経済鈍化

人口だけでなく、年齢構成にも注目が必要です。日本は2024年に世界で初めて年齢中央値が50歳を超える国になることが確実です。つまり日本は、主要先進国のなかで最も

図3：高齢化とGDP

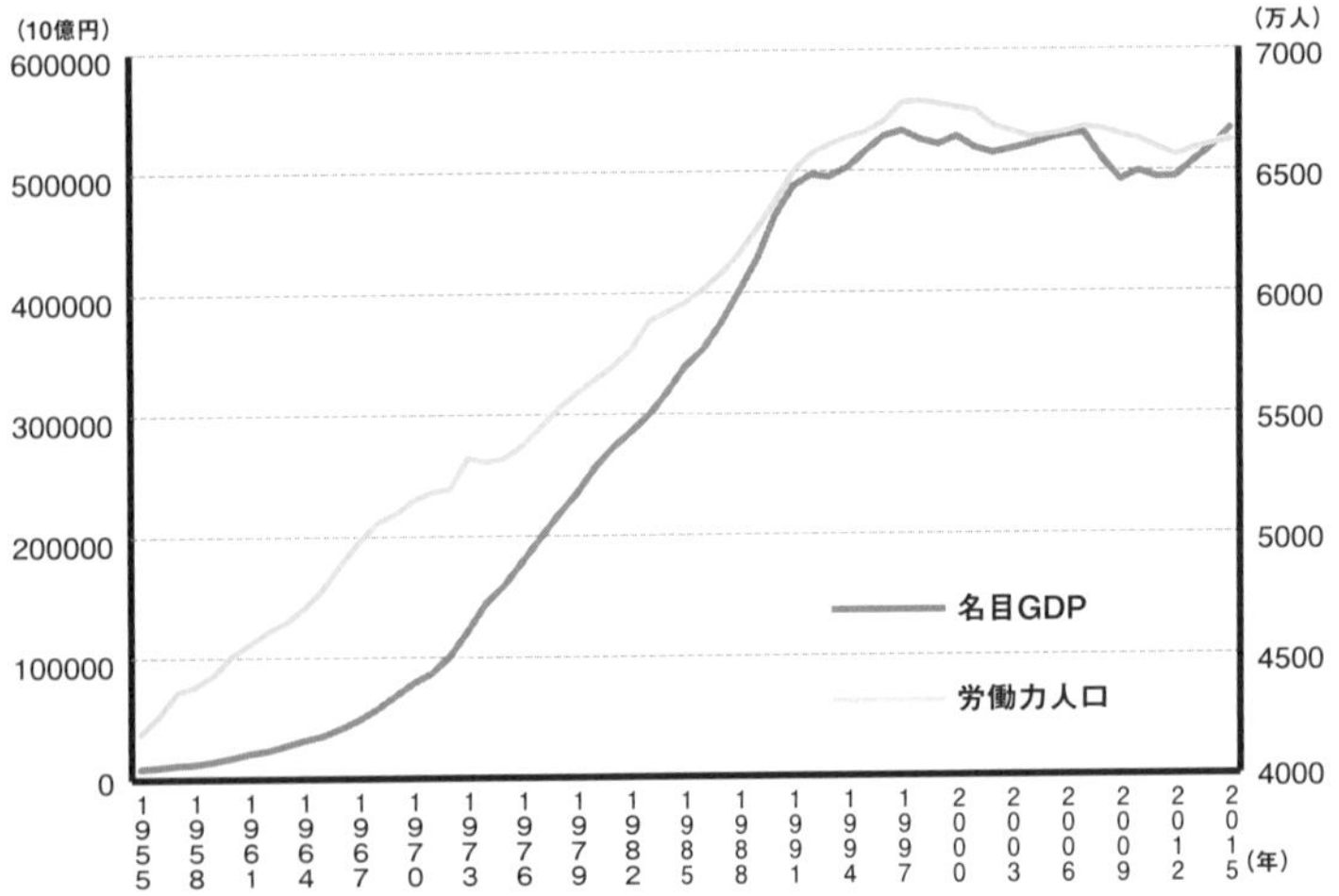

出典：労働力人口は総務省統計局「労働力調査」より
(注)労働力人口の1952年以前は14歳以上人口のうちの該当する者。
名目GDPは内閣府「長期経済統計　国民経済計算」より

高齢化が進み、最も人口減少率が大きい国、というのが国際的な位置づけなのです。

この少子高齢化と人口減少の問題を抱えるのは日本だけではありません。中国・韓国・台湾・シンガポールといったアジアの国々でもまた少子高齢化が進んでいます。

たとえば韓国は２０１９年の出生率が女性１人あたり０・９人と世界で最も低い数値となりました。２０５０年には総人口に占める65歳以上の割合が35％になると見られ、世界でもトップクラスの速さで高齢化が進行。シンガポールもやはり、２０５０年に総人口の34％が65歳以上になると予測されています。

高齢者の比率が全体の７％以上になった

図4：世界の高齢化のスピード

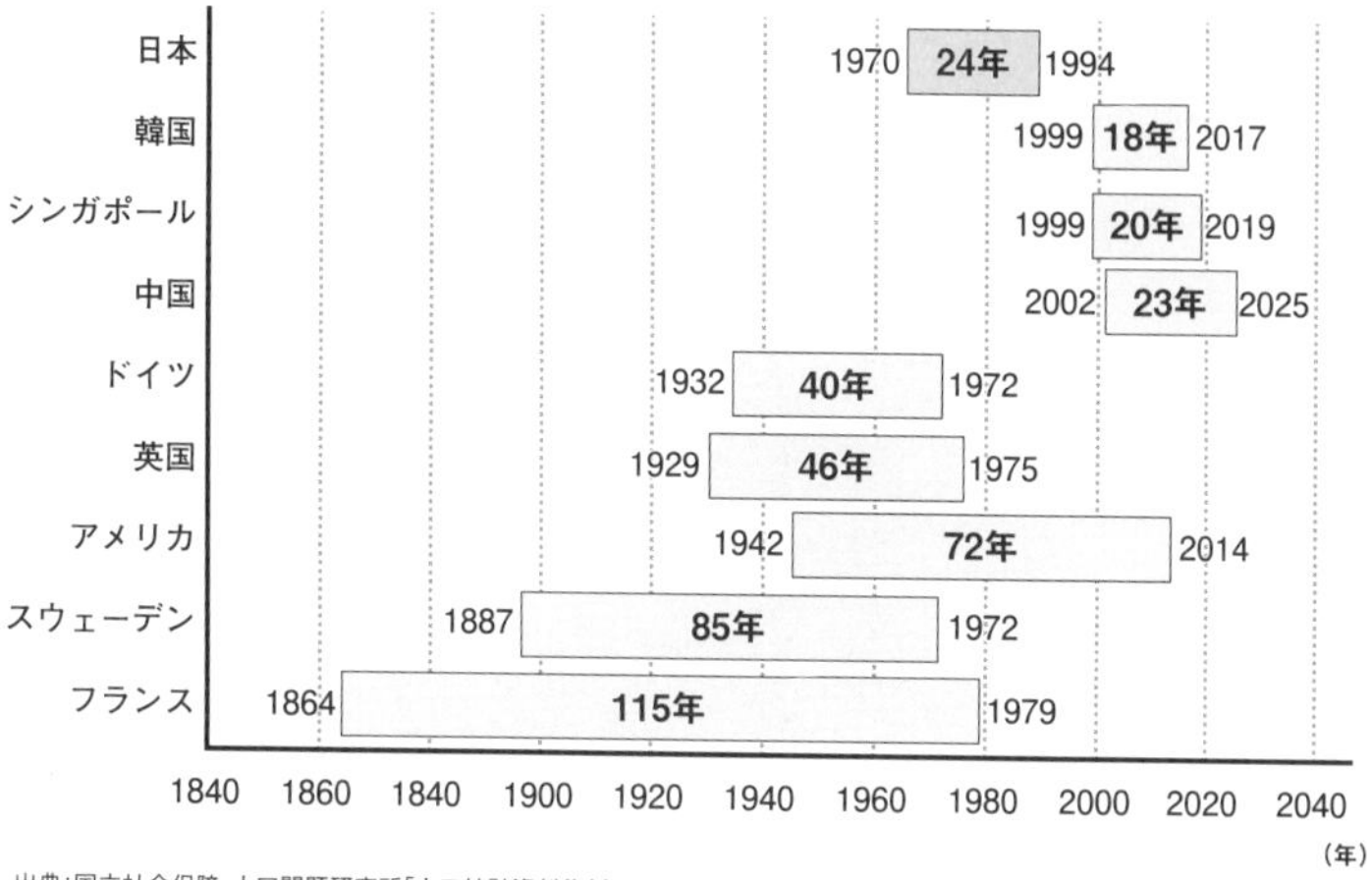

出典：国立社会保障・人口問題研究所「人口統計資料集」（2017年）
（注）1950年以前はUN, The Aging of Population and Its Economic and Social Implications（Population Studies,No.26,1956）及びDemographic Yearbook, 1950年以降はUN, World Population Prospects：The 2015 Revision（中位推計）による。
ただし、日本は総務省統計局「国勢調査」、「人口推計」による。1950年以前は既知年次のデータをもとに補間推計したものによる。

社会を「高齢化社会」、14％以上に至ると「高齢社会」と呼びますが、では一体、この高齢社会の何が問題なのでしょうか。

答えは、「働き手の数と経済成長は連動する」という事実が示してくれています。

そこで、高齢化先進国である日本の労働力人口とGDPの関係を見てみましょう（図3）。戦後は労働力人口の増加に合わせてGDPも上昇しています。しかし1997年頃から頭打ちになり、その後ゆるやかに下がり始める。GDPも同様の曲線を描いていることがわかります。

欧米社会はおしなべて高齢化のスピードが遅い傾向にあり、フランスは高齢化が始まってから115年、スウェーデンは85年、アメリカは72年をかけて高齢社会へと至っています。1970年に高齢化を迎え、24年かけて1994年に高齢社会になった日本は欧米よりもずっと高齢化のスピードが速いのですが、アジアではそれを上回る速さで高齢化が進む傾向にあり、韓国は18年、シンガポールは20年で高齢社会に到達、2002年に高齢化を迎えた中国は23年で高齢社会を迎える見込みです（図4）。

これは欧米社会に比べ、アジアのほうが人口減少によるソーシャルインパクトが大きい、ということでもあります。

平均寿命という観点も加えてみると、世界一の長寿国が日本、3位が韓国、シンガポールは4位。寿命が長いということは、労働人口（20歳～65歳）が減ることで社会保障の負担が大きくなり、生産性が低下することも示唆します。

過疎化と世代間の「縦の分断」

2050年に向けた課題は人口減少だけにとどまりません。

例えば、地方の過疎化です。

戦後の日本は工業化へと舵を切り、急速な都市化が進みました。当時は第1次ベビーブームで生まれた団塊の世代が日本全体の労働人口を増やしていたため、都市に大量の人口が流入し続ける一方、地方都市に残って就農する人の数もそれなりに確保できていました。しかし、先に示したように全体の労働人口が目減りし始めると、仕事やより良い生活を求めて経済活動が活発な都市部に流入する人の割合が増えます。

農業・林業・漁業といった第1次産業に代表される、地方を支える若い働き手が少なくなったことで徐々に地方都市の人口が減少し、現在のような過疎化へと進んでいったのです。

もちろん国も手をこまねいていたわけではありません。地方自治体と連携をしながら、Uターン・Iターンを呼びかけるなど、様々な政策をとりました。ただ、現状を見れば充分な成果をあげているとは言えません。

なぜでしょうか。よく言われる理由に、地方では都市と比べて仕事や収入が少ないことがあげられますが、わたしにはもうひとつ指摘したい点があります。人間関係です。

地縁のない地域への移住とあれば、地元の人たちとうまく付き合っていけるか、という点は無視できない懸念となります。

これは地方社会に限ったことではないのですが、社会の中で一定の権力を持ち、年少者に対して従うように要求する「けしからんジイさん・バアさん」の存在を感じたことはありませんか？「若い奴は年長者の言うことを聞くものだ」という感覚の持ち主です。彼・彼女たちには「戦後の日本の成長を支えてきた」という自負があるのも特徴のひとつで、ひとたび権威を手に入れたら手放さず、新しい意見や活動を取り入れることが苦手です。

極端な例でしたが、多様な価値観、多様なライフスタイルの人たちが集まる都市と違って、地方社会には家父長制的な「縦社会」が根強く残る地域があります。そういった場所に若い人はわざわざやってきませんし、来てもすぐ出て行ってしまうでしょう。

SNSの発達などもあり、今は地域や国境を超えて、同じ価値観をもった同世代が繋がる時代になった一方で、**こういった「世代間の縦の分断」は、技術や経験が継承されない、という問題を引き起こしています。**本書のテーマである「食」もその渦中にあり、自然な農業を営むための技術や地方の名店の料理、おばあちゃんのぬか漬けの味といった、**年長者が持っている「日本のおいしい資産」が、誰にも引き継がれないまま失われている。**

わたしたちはどうにかしてこの世代間のギャップを埋め、「縦のつながりの喪失」に歯止めをかけなければいけません。

世界の人口爆発が引き起こす資源不足

ここまで日本の社会課題がいかに放置されてきたか、豊かな2050年を迎えるために、今こそ改革をしなければならない岐路にあることを示してきました。

では、世界はどうでしょうか。日本と同じように危機なのか。それとも参考となる何かがあるのか――。

大きく日本と違う傾向にあるのが「人口」です。

減少段階にある日本に対して、世界の人口は増加することが予想されていますが、これもいい話、とは言えません。

人口が爆発的に増えると、資源の不足やひとりあたりの資本力低下が顕在化します。

国連が発表した世界人口推計（2019）によると、世界の人口は2021年現在の約79億人から、2030年に85億人、2050年までには97億人に増加すると言われていま

図5：世界の人口予測

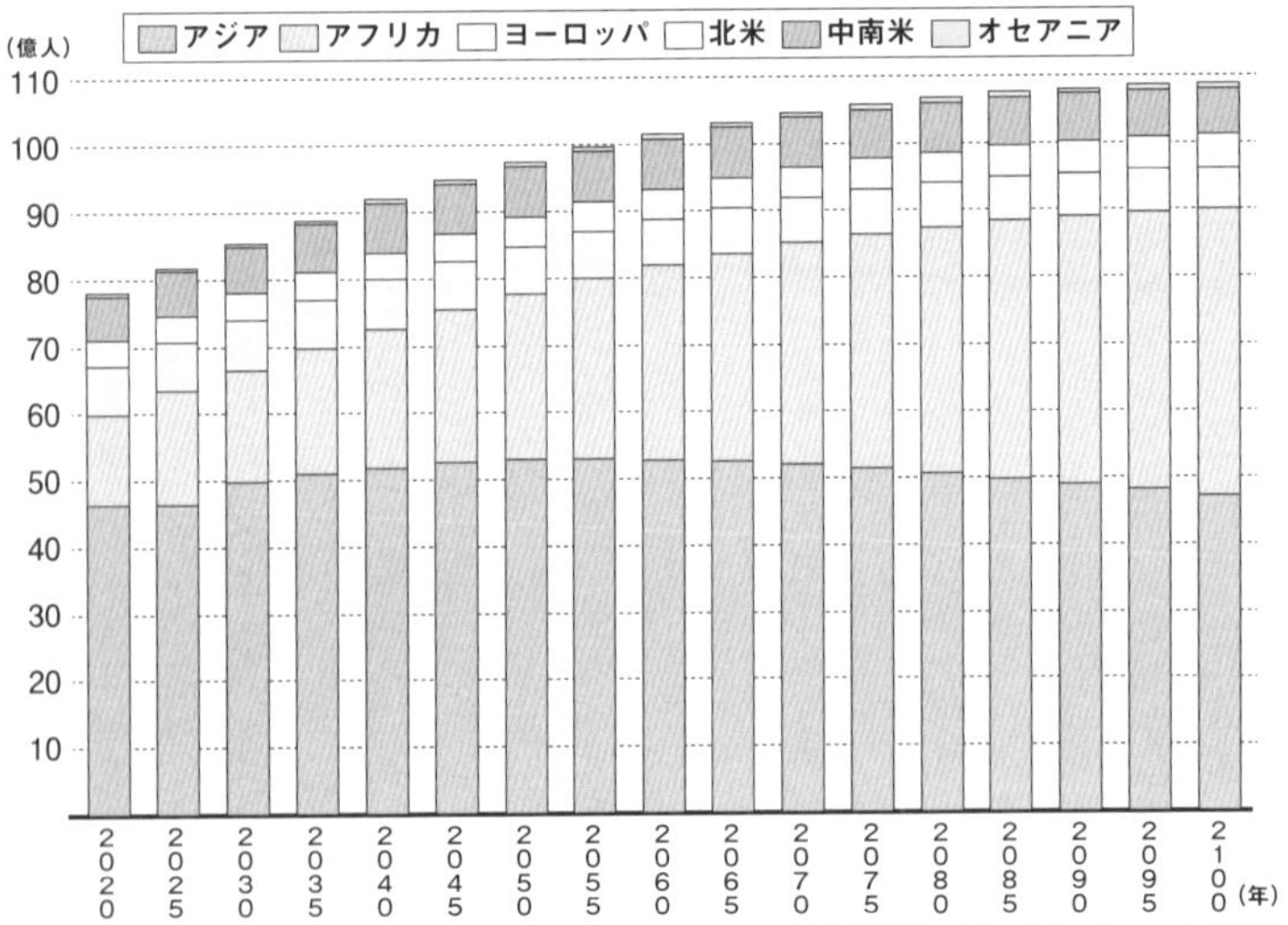

出典：国連「World Population Prospects 2019」

図6：2017年と2100年の世界の人口

2017年		
1	14億人	中国
2	13億8000万人	インド
3	3億2500万人	米国
4	2億5800万人	インドネシア
5	2億1400万人	パキスタン
6	2億1200万人	ブラジル
7	2億600万人	ナイジェリア
8	1億5700万人	バングラデシュ
9	1億4600万人	ロシア
10	1億2800万人	日本
13	1億300万人	エチオピア
14	9600万人	エジプト
18	8100万人	コンゴ民主共和国
24	5400万人	タンザニア

2100年		
1	10億9000万人	インド
2	7億9100万人	ナイジェリア
3	7億3200万人	中国
4	3億3600万人	米国
5	2億4800万人	パキスタン
6	2億4600万人	コンゴ民主共和国
7	2億2900万人	インドネシア
8	2億2300万人	エチオピア
9	1億9900万人	エジプト
10	1億8600万人	タンザニア
13	1億6500万人	ブラジル
19	1億600万人	ロシア
25	8100万人	バングラデシュ
38	6000万人	日本

出典：The Lancet「Top ten countries by population in 2017&2100」

す（図5）。

最も人口が増える国がインドで、２０５０年に中国を抜いて約16億人と世界一に躍り出て、その座を今世紀の終わりまでキープし続けます。（図6）またサハラ以南アフリカの人口増も目覚ましく、２０５０年までに現在のほぼ倍にあたる99％増、２１００年には世界人口の４割近くを占めるまでになる、と予想されています。

爆発のピークについては諸説あり、アメリカのワシントン大学は２０６４年の97億人、国連は２１００年の１０９億人、と試算を出しています。なかには「２０５０年がピーク」と見る専門家もいるほどで、いずれの試算でも30年後に地球人口は爆発し、特に**インドやアフリカ大陸において、食料や医療を含めた深刻な資源不足が起こる可能性があります。**

地球７・４個分を消費する国

人口増加を迎える世界において、環境負荷が増大することは言うまでもありません。環境負荷の増大は、地球の温暖化を引き起こします。ご存じの通り、温暖化は海面上昇や異常気象、生態系への影響など世界規模の大問題になるわけですが、ここではもっと身近な

２０５０年に起きるとされるアジアの例について触れてみます。

現在、ヒマラヤ山脈の氷河が温暖化の進行に伴って縮小しています。このヒマラヤ氷河を水源とするのがインダス川。インドやパキスタンなど流域に住む2億７０００万人の生活を農業・生活用水として支えています。

このまま氷河の融解が進むと、インダス川の水量は２０５０年に減少に転じます。インドとパキスタンは共に人口爆発が予測されている地域であると同時に、かつてカシミール紛争を起こした微妙な間柄です。水が足りなくなって農業が成り立たず、生活用水が不足したとき、国際トラブルに発展しないとも限りません。ちなみに、両国は核保有国です。

世界的な食糧不足と水不足が起これば、各国で資源の取り合いが始まる可能性があります。

食べ物と水を得るために環境はもっと破壊され、医療不足や貧しさから途上国の出生率は下がらず、飢餓と貧富の差は拡大し続けます。当然、世界の政情は不安定になっていくでしょう。

■ 図7:G20各国の食料消費パターンが世界でとられた場合に必要な資源

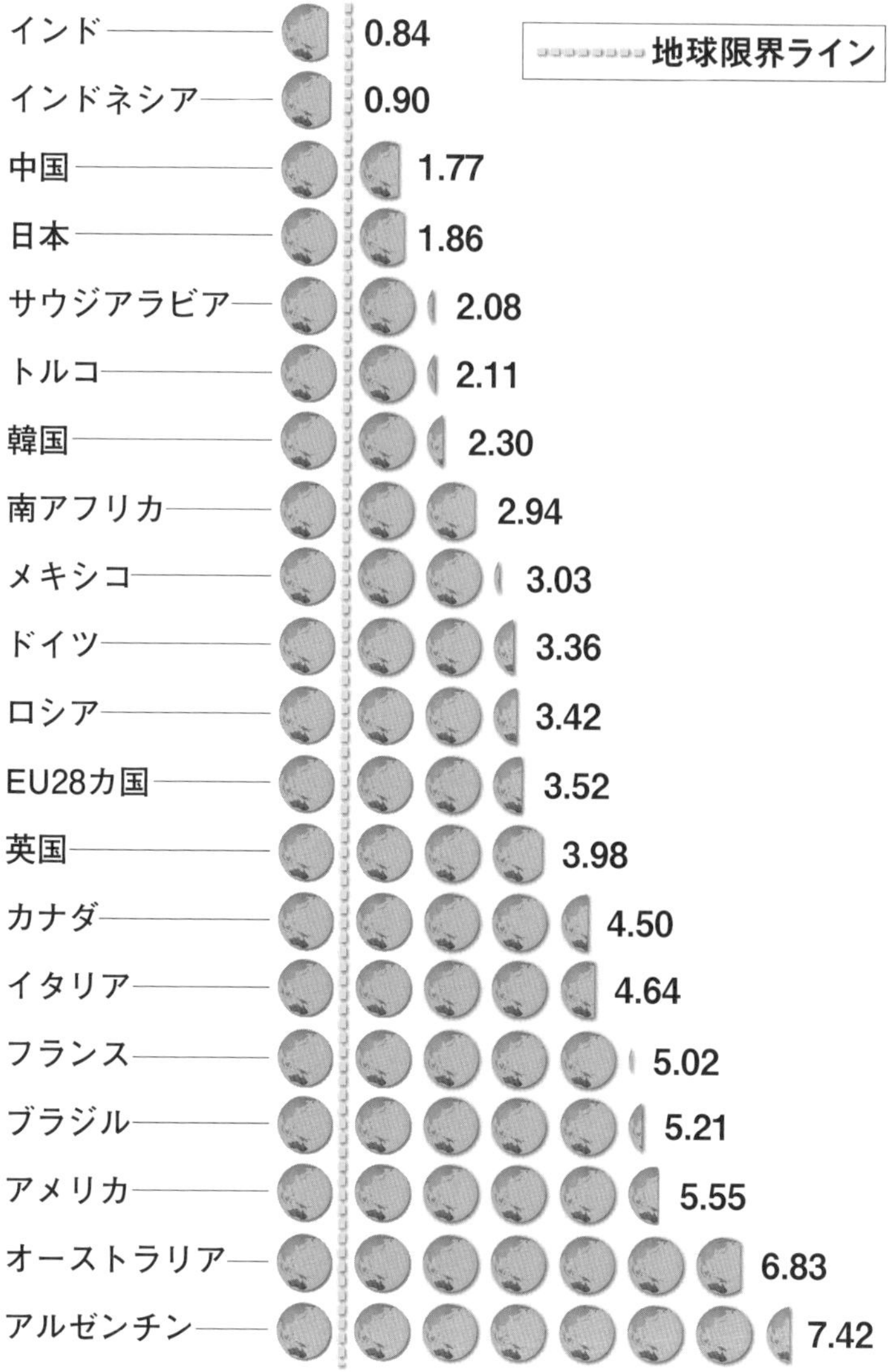

出典:EAT Forum「Diets for a Better Future G20 National Dietary Guidelines」より

こうした最悪のシナリオを避けるために、そのおおもととなる「環境負荷」について様々なデータが発表されるようになりました。

例えば、アメリカのＮＧＯ『グローバル・フットプリント・ネットワーク』の調査（２０１９年）に「**人類が今の生活で必要とする資源は地球１・75個分**」というものがあります。**なんと現時点で、「地球のキャパシティ」を倍近く超えているというのです。**また、ノルウェーのＮＰＯ法人『ＥＡＴ』のレポートによると、**仮に世界中の人がアメリカの平均的な食事をして過ごすとなると、地球が５・５個分必要になる、といいます。肉食の多いアルゼンチン式の食事に至ってはなんと地球７・４個分にも及びます**（図７）。このデータは単純なカロリーの摂取量だけでなく、畜産に関連する肉や乳製品など環境負荷の高い食品が占める割合など全てを加味した結果で、わたしたちが地球にある以上の資源を消費しながら生きていることを明確に示しています。

食産業もその中心にいて、世界中の食にまつわる産業を総合すると売上高は約１２００兆円になる一方で、食産業の活動によって生みだされる地球への環境負荷をコストとして計算すると、その合計は約１３００兆円にも上ります。つまり１００兆円分もの地球の資

図8：食品廃棄物発生量の主要国比較

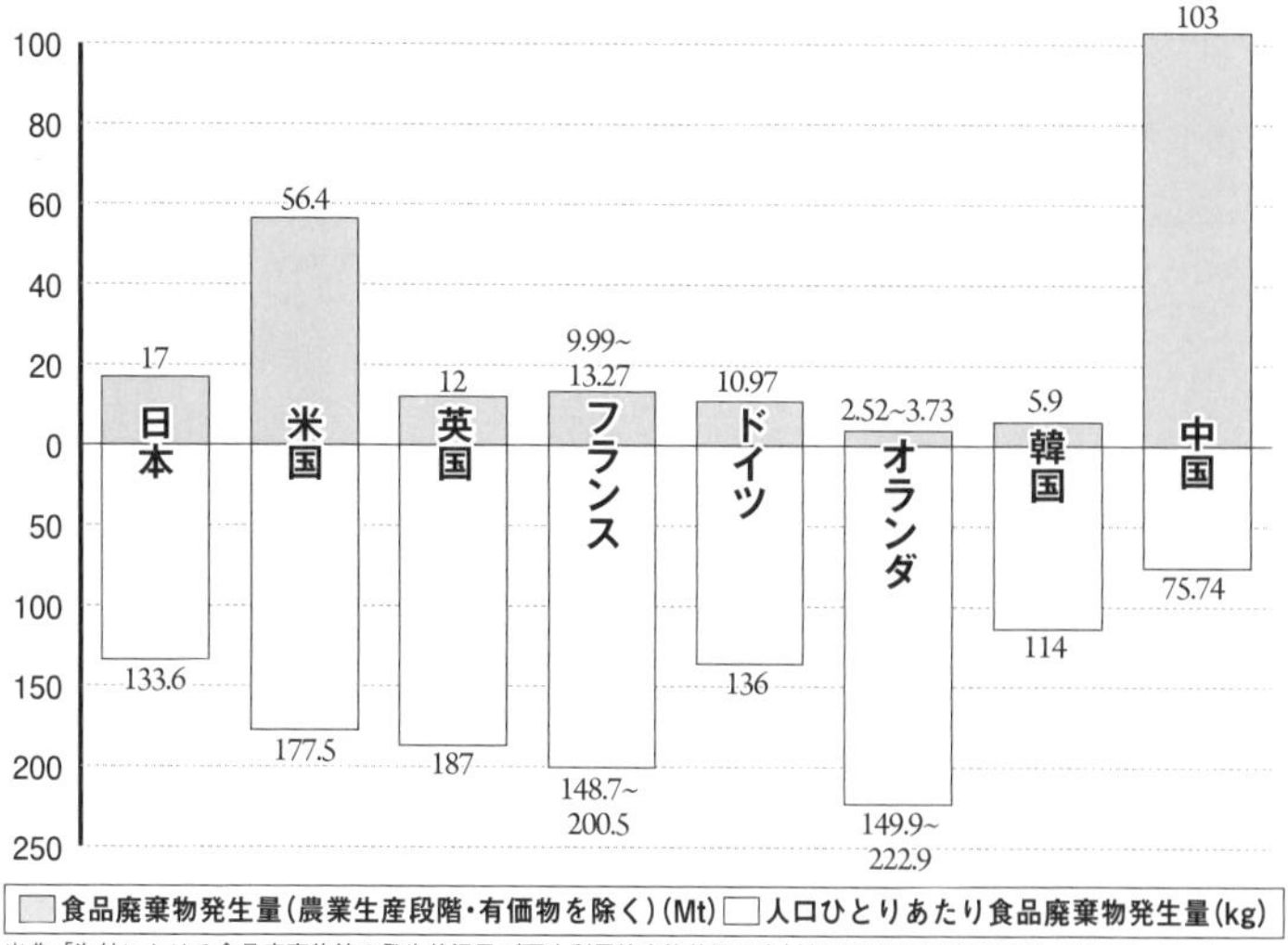

出典：「海外における食品廃棄物等の発生状況及び再生利用等実施状況調査」（（公財）流通経済研究所）を加工して作成

源を食い潰しながら活動していることになります。

食糧不足と食品ロス

ここから課題をもう少し細分化していきます。

環境負荷コストには、食べられないまま廃棄される食材（食品ロス）や、食肉などの畜産にかかるエネルギーなどがあります。

後者の畜産に関わるエネルギーとは、たとえば牧場を開拓したり、飼料を栽培したりするための森林伐採と、それによる自然災害を防ぐための整備コスト。飼料を牧場へ、食肉を世界各国へと運ぶための燃料費

（フードマイレージ）。また大量の糞尿によって引き起こされる土壌汚染とその処理費……。これらが環境負荷となっています。

日本人もアメリカ人も牛肉は大好きです。しかし、その裏側には「2050年に向けた課題」があることを我々は知らないままではいられません。

食品ロス問題はもっとも日本人に関係が深い課題のひとつでしょう。世界が食糧不足に向かう中、**日本国内の食品ロスは年間612万トン（2017年度）。その内訳は事業系・家庭系がほぼ半分ずつで、国民ひとりあたり約48キロもあると言われています。試算によると世界6位、アジアではなんと1位の多さです。**

アジアの食品ロスを減らそうと考えたら、まず日本をどうにかしなければいけない。日本も環境破壊の原因をつくっている当事者であることを、わたしたちはきちんと理解しておかなければいけないのです。

世界に遅れる「賞味期限」と「添加物」

日本で食品ロスが起こってしまう大きな原因は「賞味期限」です。

安全に食べられる期限を指す「消費期限」に対し、おいしく食べられる期限を示した「賞味期限」は、品質劣化が起こるタイミングよりも短めに設定されています。スーパーやコンビニといったサプライチェーンを使って商品を流通させると、賞味期限の短いものは店頭に出しにくくなるため、さらに短い「販売期限」が設けられる。メーカーや流通のリスクを回避するこの仕組みが、食べられないまま処分される食品を増やしています。

また戦後になって、食品を効率よく大量生産する「食の工業化」が日本で起こりました。このとき発達したのが「おいしく感じさせる技術」。食品添加物を使って色や味を良くしたり、日持ちを向上させたりするテクニックです。

日本で使用される食品添加物の種類は厚生労働省が指定する455品目のほか、安全性に問題がないと認められているものも含めると1500以上と、世界でもトップクラスの多さです。添加物が全てダメということではないのですが、海外で禁止されている一部の添加物が日本では認可されている、という現状は見逃せません。また「食品表示」の定義も曖昧で、トランス脂肪酸など世界的に表示義務化が進んでいる成分でも、表示するかどうかはメーカーの任意に委ねられている、という問題もあります。

もし日本の食品メーカーが海外に打って出る必要があったなら、添加物や食品表示は世界基準に合わせたものになっていたでしょう。しかし長い間、豊かな内需に支えられてきたことが改善を遅らせてきました。世界と共生するグローバルな未来を描くなら、ここも変えていかなくてはいけません。

食べることと環境負荷の関係

ここまで書いてきたように、**「食べる」という行為と環境問題とは密接な関係にあり、わたしたちの口に入る穀物や畜産物をどのように育てるかによっても、環境に与える負荷の度合いは変化します。**

地産地消の食材が注目されるのも、近隣でつくられるため生産者の顔が見えやすいという良さ以外に、輸送にかかる燃料や二酸化炭素の排出量を考えると、輸入食材を使うより、近隣で採れた食材を使うほうが環境負荷も低いからです。

持続可能な未来を築くうえで、「わたしたちの食べ方」が地球環境にどのような結果をもたらすか、という視点を持つことが大切です。

アサイーブームの悲劇

例えば、「アサイー」。優れた抗酸化作用と栄養価の高さで知られるスーパーフードでブラジル・アマゾン原産のフルーツです。欧米から人気に火がついて日本でもブームを巻き起こしましたが、アマゾン地域では以前から日常的に食されていました。

しかしブームの影響で価格が大きく高騰したため、他の樹木を伐採してアサイーをたくさん収穫しようとする動きが生まれます。その結果、森林の多様性が失われていくと同時に、生態系のバランスが崩れて土壌が劣化。皮肉なことにアサイーの収穫量は減り、質も低下してしまったのです。


わたしたちが「おいしい」と喜んだとしても、地球の裏側にいる誰かが悲しむのなら、未来にやせた森林が残るのなら、それは本当に「おいしい」と言えるのでしょうか。

動き出す世界の「食」

こうした状況に対して欧米各国は動き出しています。

彼らが本気である理由は非常にシンプルで、生き残りがかかっているからです。欧州の国々は、地球最大の暖流であるメキシコ湾流によって温められ、気温が保たれています。しかしこのまま地球温暖化が進行すれば、世界最大の氷河であるグリーンランドの氷が溶け落ちる影響からメキシコ湾流が海中深くに沈み、氷河期状態になる可能性が予想されています。だから、これまでのように自然を征服するような経済活動をやめて、自然とどう共生するかを模索する動きが活性化しているのです。

多様性を尊重しよう、という動きも、移民を含めた多民族から構成される国家が多いことに加え、起こりうる世界的な食糧危機を前に、自国の利益を確保するだけでなく世界で手を組んでいかないととうてい解決できない、と気づいているから。国連が主導してSDGs（持続可能な開発目標）の達成を目指している背景にはこういった事情があると言えます。

近年、多くの企業が取り組みを開始しているこのSDGsは、地球にかかる負担を減ら

■ 図9：プラネタリー・バウンダリー

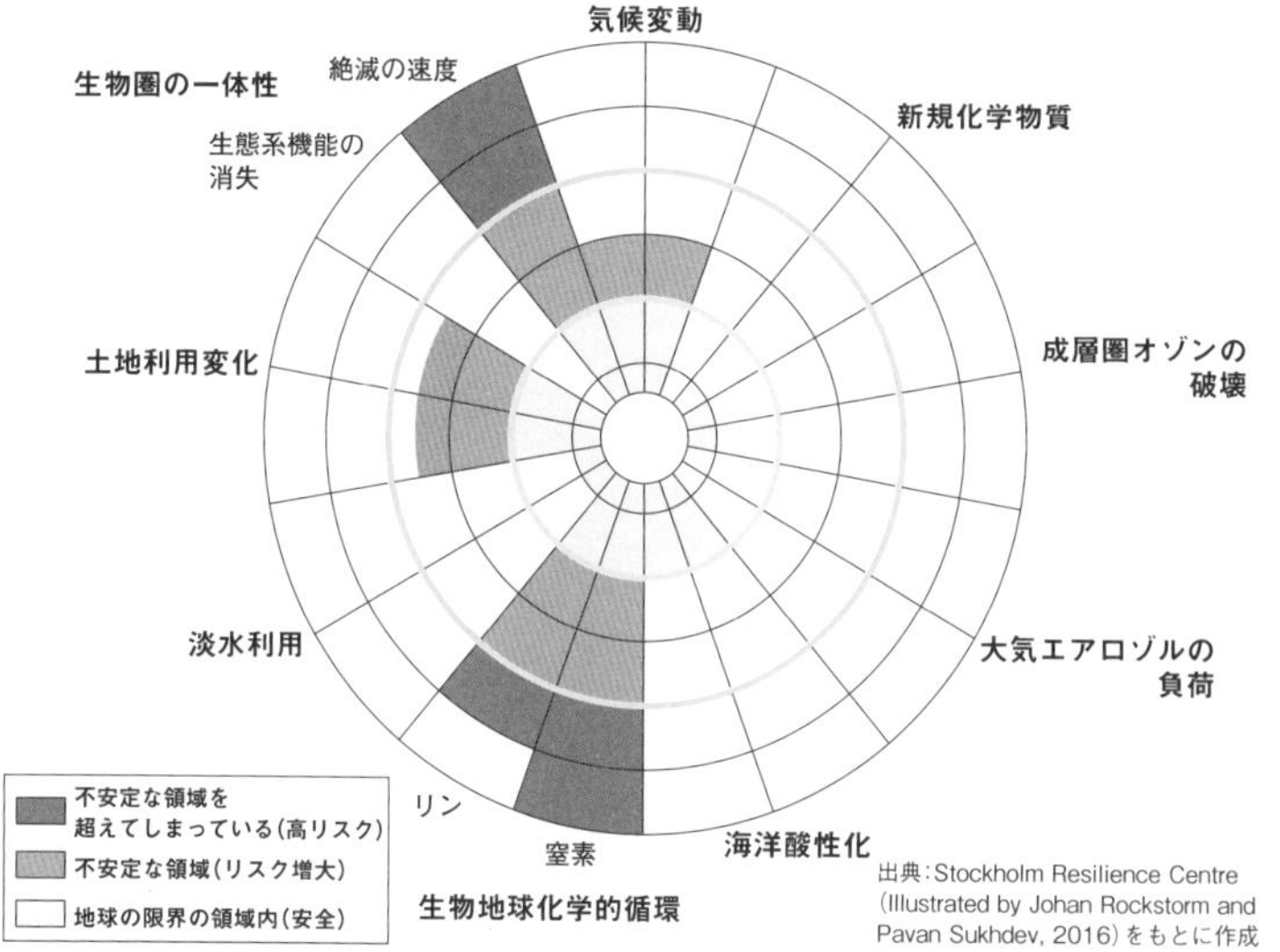

出典：Stockholm Resilience Centre (Illustrated by Johan Rockstorm and Pavan Sukhdev, 2016) をもとに作成

して持続可能な世界を実現するため、2030年までに達成すべき目標として、2015年の国連総会で採択されました。

最近は新聞やネットメディアでもこの「SDGs」や「サステイナブル」といったキーワードをよく耳にすると感じている方も多いと思いますが、その背景にはここまで紹介してきたような、飢餓や紛争、気候変動といった人類共通の課題があります。

人類が安全に活動できる限界領域を示し、SDGs政策のもとになった「プラネタリー・バウンダリー」（図9）でも、気候変動や生物絶滅の速度、リンや窒素などの化学的循環については、人間が安全に活動できる境界を超えるレベルに達していると指摘されています。

さらにコロナ禍により、未来へのリスクは早期に対処すべきだという機運が世界規模で一気に高まっています。特に「食」に関して、国連事務総長が「SDGsの達成のためには持続可能な食料システムへの転換が必要不可欠だ」という姿勢を示し、2021年9月に「国連食料システムサミット」を開催したことが象徴的です。後述しますが、江戸時代の日本は世界に類を見ないサスティナブル社会を実現していました。日本本来の良さを「グリーンガストロノミー国家」として打ち出し、世界をリードするチャンスは今しかないのです。

美食の限界

食の世界でも、こうした事実にいち早く反応している人たちがいます。

例えば、ガストロノミーの代表的な料理のひとつ「フォアグラ」。ガチョウに強制的にエサを食べさせ、8倍にも肥大させた肝臓を食べるという手法は、動物福祉の観点から論争の対象になっていますが、その格別なおいしさで美食家の支持を得ている食材です。

オバマ元大統領も訪れたというニューヨーク・マンハッタンのフレンチレストラン『ブ

ルーヒル』のシェフであるダン・バーバーさんは、アイデアの種をプレゼンテーションする場として人気の世界規模のカンファレンス『TED』の中で、フォアグラについて話をしています。

ある出会いから、スペインの山奥で強制給餌をしない自然なガチョウを育てるフォアグラ農場を訪ねた彼は、イチジクやオリーブ、ハーブなどの野草を食べてストレスなく育つガチョウの姿を目にします。そのフォアグラは「今まで食べていたのは何だったのか？」と思うほどおいしかったのだとか。

ではなぜ、強制的にエサを食べさせる手法が生まれたのか。疑問を持ってフォアグラの歴史を調べた彼は、ある史実に行きつきました。かつてガチョウが肥え太る秋にしか食べられなかったフォアグラをエジプトのファラオが気に入り、ユダヤ人に対して「一年中食べられるように」と強制し、そこで苦肉の策として編み出されたのが強制給餌だったのです。それを知ったことで、**彼はフォアグラに代表される自然のサイクルを無視して工業製品のようにつくられる大量生産の農業に別れを告げる決意をします。**

現在のダン・バーバーさんは、ニューヨーク州郊外にある膨大な土地に農園と牧場をつくり、持続可能かつオーガニックな農法の実験をしています。そこにはもちろん、農園でつくった食材を提供するレストラン「ブルーヒル・ストーンバーンズ」もあり、人気を集めています。マンハッタンのど真ん中にいた世界のトップシェフが、自然に囲まれた農場でサスティナブルな未来のために農業を研究する。大きな意識変革を伴った大胆なポジションチェンジですが、これは食の背景を見つめたからこそなし得たものです。こういった取り組みを目にしたハーバード大学医学大学院は、ダン・バーバーさんをアドバイザリーボードとして招へいしています。

「持続可能かどうか」がこれからの価値

広告より社会課題の時代

アサイーブームの事例が示すように、食によって引き起こされる環境や貧困などの社会課題を無視することはできなくなっている——これは企業にとっても当てはまります。ダン・バーバーさんのように個人としてその在り方を変える人もいますが、より社会的影響力の強い、企業においてもひとつの転機が訪れているのです。

近年のビジネス界における大きな変化に、社会課題を解決するアクションに対して価値を見出す投資家が増えたことがあげられます。年金積立金管理運用独立法人（GPIF）の投資責任者だった水野弘道さんが世界に先駆けて呼びかけた「ESG投資」の概念は、今やビジネス界の常識になりました。かつてのような慈善事業やボランティアとしてではなく、ビジネスチャンスとしても取り組む意義が生まれています。

企業や団体にとって、SDGsに真剣に取り組む姿勢はブランド価値を高めることにつながり、多くの人の注目を集めて資金を調達しやすくなる。

これまでそういった役目を担っていたのは広告でした。しかし今は、テレビや雑誌を利用して良いイメージを発信すれば印象がアップする、という時代ではありません。素敵に見せることが大事ではない、とは言いませんが、おしゃれで華やかであることよりも、人類が抱える課題を真剣に見つめる姿勢や、それを懸命に解決しようとする活動のほうが「素敵」である、という方向に世の中の価値観が変わってきたと言えます。

かつて日本では「コスト」として捉えられていたものが、世界では「リターン」を生むチャンスとして、大きく発展しようとしているのです。

時代の転換に合わせて「おいしい」の意味を更新しよう

このように、環境や多様性、社会に配慮したサスティナブルなものが価値として認められるように時代は変わってきました。そんな中、「おいしい」の基準も大きく変化しているとわたしは考えます。

これまで「おいしい」と言えば、「味＝おいしい」が主流で、「美食」や「ガストロノミー」といった、どれだけおいしいかを突き詰めていく贅沢な世界を内包するものでした。**しかし今は、環境負荷の低さや持続可能性までもが「おいしい」の価値基準になるよう変化してきています。**糸井重里さんによる80年代の代表的なキャッチコピー「おいしい生活」は、生活がより文化的に便利になっていく当時の時代背景を表したものでした。わたしたちは「おいしい」という概念を今も更新しながら時代を生きている、と表現できます。

さらに、**多様性や調和が必要とされる時代において、私はもうひとつの「おいしい」が**

重要になってくると考えます。それは、個人の体験や想いに基づいたおいしさ。「愛すべき食＝愛食」と呼べる存在です。味だけではなく、記憶や体験、さらにそれぞれの土地が持つ気候や風土もまた「おいしい」の意味を更新する役割を持っているのです。

わたしが「愛食」の価値に気づいた体験をお話しさせてください。

おいしくない、でも大人気

きっかけは2010年、『WIRED CAFE』の新規出店を目論んだ、ロンドンへの出張でした。ロンドンの人たちはどんな味を好むのか。そこでたまたま連れて行ってもらったのが、大人気だという南アフリカ発のチキン専門店『ナンドーズ』でした。グリルで焼いたチキンに、かけ放題のオリジナルソースをつけて食べるスタイルで、内装は高級レストランのようにおしゃれな雰囲気。「ロンドンにはこんな素敵なアフリカ料理店があるんだ」というのが第一印象でした。

香ばしく焼き目のついたムネ肉に期待をふくらませ、いざかぶりついてみると「あれ？」と手が止まりました。まずくはない。けど、おいしくもない。「ムネ肉をただ焼い

スーパーにずらりと並ぶ『ナンドーズ』のソース。

ただけ」そんな感じがしました。自慢だというソースも全て試してみましたが、率直に言うと、どれも「辛い土」のような味です。わたしは本来、好き嫌いもあまりなく、出されたものはキレイに食べるタイプですが、その日は食べきれないまま店を出てしまいました。

それから2年後、トライアスロンが趣味であるわたしは、西オーストラリアで開かれるアイアンマンレースに参加するためバッセルトンという田舎町にいました。

日本で引いた風邪が長時間移動でぶり返したのか、どうも体調がすぐれません。何か食べないとレースで身体が持たないのに、小さな町にはレストランもなく弱っていたところ、同部屋として一緒にレースに参加した『ゴーゴーカレー』の社長・宮森宏和さんが持ってきたレトルトカレーをごちそうになることになりました。一緒に地元のスーパーに出向き、売り場をうろうろしていると、棚にあの『ナンドーズ』のソースがずらりと並んでいるのを見たのです。ロンドンの「辛い土」ソースが、どうしてオーストラリアの田舎町のスーパーに？

その現象がどういう意味を持つのか、ハッと気づいたのはこのときでした。

わたしはイメージしていました。「今、バッセルトンに（日本人が大好きな）刺し身があったら食べるか？　出されたら食べるかもしれないけど、そんなにほしくないな」と。国の気候風土と文化は多種多様で、どこにもその土地に合った味があります。バッセルトンの「おいしい」は「刺し身」ではないのです。

たとえわたしの口に合わなかったとしても、アフリカンチキン、あるいはアフリカンソースは、アフリカ人にとってなじみ深い味であることには変わりません。そういった「アフリカの故郷の味」的な商品がこれまで世界にはありませんでした。そのことに目をつけ、感度の高いロンドンから南アフリカの味を高級レストランスタイルで打ち出し、アングロ・

サクソン系の人々にも人気となった。アフリカ系の人々にとって、それはきっと誇らしいことだったのではないか、と推測できます。アフリカ系の人々は世界中にいるわけですから、店舗が増え、ブランド力が高まってゆくのと同時に世界各国に『ナンドーズ』が進出するのはまったく自然な展開です。

「うまい・まずい」でだけ判断し、今日このときまで南アフリカの文化をリスペクトすることもなかったわたしはなんてダメなやつなんだ。ソースが並んだ棚を見ながらひとり反省しました。「誰が食べてもおいしいもの」はあると思いますが、地球上にある「おいしい」はもっと多様で、育った土地の風土や歴史観、家庭の味つけなどによって無数に存在するものです。

「おいしい」はひとつじゃない

そう考えたとき、わたしにも思い入れのある「おいしい」があることを思い出しました。

思い出を呼び起こす玉露の味

福岡市中央区で小学生時代を過ごしたわたしは、母が働いていたこともあり、学校の帰り道に通る警固という地域にある祖父母の家によく立ち寄っていました。「警固のおばあちゃん」と呼び、なついていた祖母が住んでいたのは離れのある大きな日本家屋。祖父が輸出業を営んでいた関係から、室内には東南アジアの掛け軸や置物がたくさん置いてありました。それは子ども心に少し怖く、それでいてワクワクする雰囲気でした。

学校を終え、玄関から「おばあちゃーん」と声をかけると、「よう来たね」とお茶を出してくれます。それはいつも、ぬるめに淹れることによりお茶本来の旨味を引き出した玉露でした。子どもながら「玉露はいいお茶」となんとなく知っていましたし、家で飲むお茶とは風味が全く違います。

「これ玉露やろ?」と言うと「修ちゃんはそんなことが分かると?」と喜んでくれる、そのやり取りも嬉しいものでした。一緒に出してくれる洋菓子やケーキの甘さ、夕陽が差し込む昭和ならではの和洋折衷な部屋の様子、そういった全ての記憶が、玉露の味わいに奥行きを生みだしてくれています。記憶と結びついた大切な「おいしい」なのです。

食が多様性の受け皿になる

「おいしい」とは、そもそも多様である。

まずはこの原点を、わたしたちは認識しなければいけません。それを受け入れることができると、多くの「課題」を解決する糸口が見えてきます。そのひとつが、ＳＤＧｓの中核的な概念である「多様性」です。

信仰する宗教の違いから生まれる対立は、長い間続いているのに未だになくなりません。人種の違いや歴史観の違いも同様です。人類はずっと同じような憎み合いを繰り返しているのに、なかなか歩み寄れないままです。

しかし「信仰の違い」を受け入れるのが難しくても「おいしさの違い」ならもっとリスペクトしやすいと思いませんか？

わたしたちにとって「おいしい」ものが、別の国の人、隣の友人には「おいしくない」こともある。その逆もまたしかりです。「うまい・まずい」と白黒で断じるのをやめて、「あなたの文化ではこれが『おいしい』ということなんだね」と変換すればいいだけ。そこでもしお互いに「おいしい」と思えたのなら共感が生まれ、心の距離が近づくきっかけになります。

おばあちゃんのおむすびが三つ星になる

もうひとつ、「愛食」の例を紹介します。

青森に佐藤初女さんというおばあちゃんがいらっしゃいました。失意のどん底にいる人でも、彼女のおむすびを食べると元気になると言われ「日本のマザー・テレサ」と呼ばれていました。弘前市の郊外で営んでいた宿泊施設には、「初女さんに会いたい」「彼女のおむすびが食べたい」と全国から人が尋ねてきました。94歳で亡くなるまでおむすびを握り、食事を共にする「おむすびの会」の活動を続けていました。

わたしはこれこそが「愛食」であり、これからの時代に必要な価値であると考えます。初女さんのおむすびによって地域にコミュニティができる。全国からも人が集まり、新しいコミュニティへとつながっていく。傷ついた人の心を癒し、忘れられない思い出になっていく。そこには、値段では測れない価値があります。

これまでの価値基準はいかにおいしいかの「味」を問うものでした。先に紹介したミシュランも、もともとの評価基準は「デートに行きたい店」かどうかだったのです。そうした画一的な価値基準ではなく、人とのつながりや、その地域に根づいたもの、長く受け継がれてきたもの＝コミュニティ、文化、歴史などを価値と捉えていくように時代は変化しています。

もし愛食にもミシュランのようなレーティングシステムがあったとしたら、初女さんのおむすびはまさに三つ星と言えるでしょう。地域経済の活性化のためにも、大切な食の資産を失わないためにも、今こそこうした価値をストーリーとして伝播させ、継承していくことが必要です。多様な「おいしい」にアップデートすることで、環境や人にやさしい社会へとシフトしていけるのです。

次章からは「日本が世界一おいしい国」であることと、そのポテンシャルについてみていきたいと思います。

きっと、２０５０年の豊かな未来が想像できるはずです。

第2章

日本の強みは「世界一おいしい国」であること

限界に近づいてきた地球環境。
世界の人口爆発と日本の少子高齢化。
労働人口が減少する時代の新しい資源、
日本の「おいしい」には
どんな強みや特徴があるのでしょうか。

海外から関心を集める日本の食

わたしたち日本人にとっては日本の食文化はあたりまえのもので、それがどのように育まれ、どのような価値を持ち、海外でどのように評価されているか意識することは少ないかもしれません。まずは世界のトップレベルの料理関係者が「日本食」に注目し、日本の「おいしい」が世界から尊敬を集めていることがわかる事例を2つご紹介しましょう。

「楠本くん、これは産業革命以来の一大事だよ」

アメリカに「食のハーバード」と呼ばれる世界一の料理学校、カリナリー・インスティテュート・オブ・アメリカ（CIA）があります。CIAは、1998年から食にまつわる専門家を世界中から招いた『ワールズ オブ フレーバー』（WOF）という大規模な食の国際会議イベントを毎年11月に開催しています。

世界の料理と食のトレンドに大きな影響を与える、と評されるこのイベントは、世界の一流シェフやフードビジネスの経営者、料理評論家や卸業者など、食に関わるプロフェッショナル約８５０名が集う大規模なものです。

その名の通り、毎回世界の食文化の中から注目すべきテーマに焦点が当てられますが、わたしが訪問した２００６年度のテーマは『スペイン』でした。このとき大きく取り上げられたのは、カタルーニャ州の三つ星レストラン『エル・ブジ』と、その料理長フェラン・アドリアさんです。彼はこれまでにない科学的な調理法「分子ガストロノミー（分子調理）」を用いた独創的な料理で『エル・ブジ』を「世界一予約が取れないレストラン」と言わしめた人物です。料理人の経験や感覚によるところが大きかった調理や味の表現を、分子レベルで解析するその手法は食のプロフェッショナルたちにとっても衝撃的でした。

帰りの飛行機が一緒になった料理評論家の服部幸應さんが「楠本くん、これは産業革命以来の一大事だよ」と話していたのが忘れられません。

そんな国際的なイベントで、『日本の味と文化』がテーマとなったのが２０１０年のことです。これはとてもすごいことで、**当時まで開催された全13回のうち、ＷＯＦが１カ国**

「WOF」で世界に向けて日本食の魅力と文化を発信したチーム・オブ・ジャパン。

の料理を取り上げたのは前述のスペインに次いで2度目。世界でたった2つの国だけなのです。

　つまりこれは、料理の常識を変えた分子ガストロノミーと同様の世界的な注目が日本食に集まっていることを示していました。

　現地に赴くために結成された「チーム・オブ・ジャパン」には、僕の外食の恩師である力石寛夫さんを団長として、『久兵衛』の今田洋輔さんや『KIHACHI』の熊谷喜八さん、『瓢亭』の高橋義弘さん、『菊乃井』の村田吉弘さん、『京都 吉兆』の徳岡邦夫さんなどトップシェフ39名、『辻調理師専門学校』の辻芳樹さんや前述の服部幸應さんらプレゼンター7名を加えた錚々たる顔ぶれが揃い、食材や料理技術のほか伝統文化などの精神性を含む、多岐にわたるレクチャーを行いました。不肖わたしもそのメンバーの片隅に参加させていただきましたが、アメリカ本土から集結したシェフたちのキラキラした目と貪欲に日本食のノウハウを吸収しようと向き合う姿勢は、日本の食のポテンシャルを強く感じるきっかけになりました。

世界一のレストランが来日した理由

日本の食と精神を学ぼう、という海外の気運が高まり続ける2015年、イギリスの食専門誌が選ぶ「世界ベストレストラン50」で何度も1位に輝いたデンマークのレストラン『ノーマ』が日本にやってきました。それもただの来日ではありません。常に5000人が予約待ちをしているというコペンハーゲンの本店を休みにして、オーナー・シェフのレネ・レゼピさんが総勢77名のスタッフと共に日本に来たのです。

そもそも『ノーマ』は、特筆すべき美食文化がなかったデンマークで、スカンジナビア地域のローカル食材と地域の文化を感じさせる料理を提供し、北欧の食事情を変えたと言われる存在です。

蟻をあしらって話題をさらった『ノーマ東京』の料理。

レネ・レゼピさんは2009年に初来日した際、味噌・醤油など醸造食品の蔵や農家などを訪ね歩き、いつか長期滞在を通じて日本の食と精神を学ぼうと考えていました。「マンダリン オリエンタル 東京」を舞台に5週間限定で開催された『ノーマ東京』は、それを実行に移す計画の一環だったのです。

開催の1年前から7度来日、北海道から沖縄までを訪ね歩き、日本の多様な食と文化に触れたレネ・レゼピさんの滞在総日数は5カ月以上。その本気度合いが伝わります。

2000席に対して6万人の応募がある大盛況だった『ノーマ東京』では、日本の食材と文化を表した「ノーマ的精神」の料理が並びました。なかでも新鮮な生エビに長野の蟻を散りばめた料理は「蟻が出てきた！」と日本人の間で衝撃的な話題になりました。

環境負荷の低い日本食

世界が日本の食に注目する理由は味の良さだけではなく、「環境負荷が低い」ということもあげられます。

G20各国の食料消費パターンと地球の環境負荷を調査したレポートによると、国民ひとりあたりの現在の食料消費を起因とする温室効果ガスの排出量、国が推奨する食生活ガイドラインに基づいだ食事に起因する温室効果ガス排出量、共に日本は低く、トルコに次いで2番目の低さです（図10）。人類が安全に活動できる地球環境を維持できる「地球の限界ライン」と比べてもほぼ同等であると評価されています。深刻な温暖化事情を抱えた現代社会にとって、日本の食が持つ「おいしい」うえに「サスティナブル」である、という特徴は、わたしたちが想像する以上に世界が求めている要素なのです。

■ 図10:一人あたりの食料消費に起因する温室効果ガス排出量

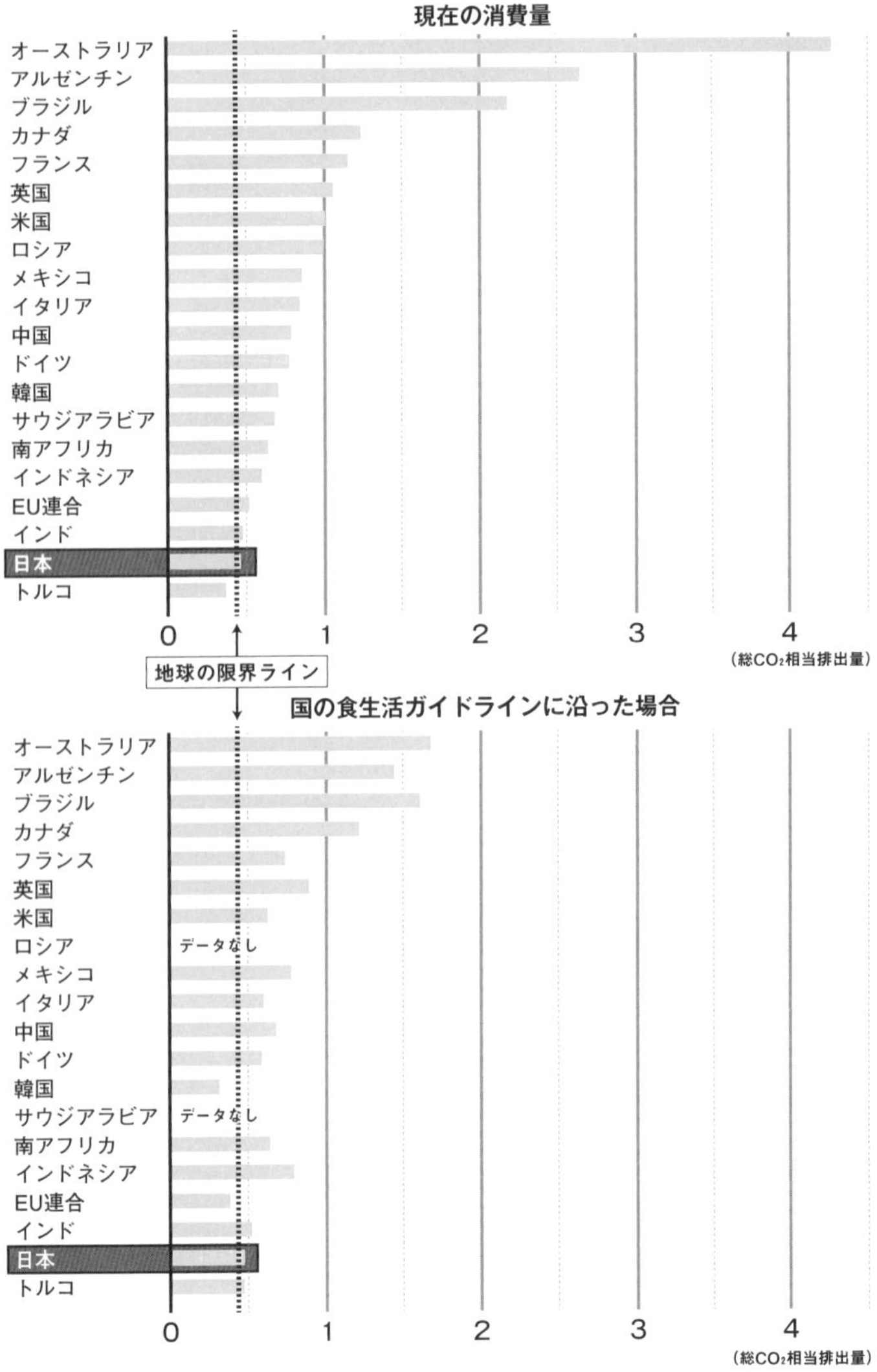

出典:EAT Forum「Diets for a Better Future G20 National Dietary Guidelines」より

世界に誇る調味技術

日本食は、技術も世界から注目されています。

そのひとつが「おいしいをつくる技術＝調味技術」です。食品添加物を使って「おいしく感じさせる技術」とは根本的に異なり、素材の持ち味を引き出していかにおいしく食品を加工するか、を追求するのがその特徴です。

たとえばパスタ界のワールドカップと呼ばれる『パスタ・ワールド・チャンピオンシップ』の2019年大会で、並み居る世界の実力者を押さえて『SALONE 2007』日本人シェフ弓削啓太さんが優勝しました。その決勝戦の場で調味料として使われたのが『朝倉粉山椒』。生産しているのは大阪の和風香辛料専門店『やまつ辻田』です。

国産素材にこだわった「やまつ辻田の『国産鷹の爪』」

1902年に堺市で創業した『やまつ辻田』は、日本の伝統的な香辛料を昔ながらの石臼製法と辻田家に伝わる秘伝の技で調味しています。その繊細さは、人気商品である七味

日本古来の純粋種を栽培する『やまつ辻田』の鷹の爪。

唐辛子ひとつを取っても、旬の香りが生きるよう季節によって材料の配合を微細に変えてゆくほどです。

使用する原料にもこだわり抜いており、七味に使う赤唐辛子を例にとると、日本で一般的に流通している赤唐辛子の99%は外国産の品種ですが、『やまつ辻田』で使うのは日本古来の『鷹の爪』純粋種。もともと堺市は『鷹の爪』の産地でしたが、収穫できる量が少なく大きさも小さいため、一房に5つ6つ実がつく外国品種を育てる農家が増えて純粋種は廃れてしまいました。そんな絶滅寸前の状況を憂えた辻田社長が自ら生産者のもとに足を運び、育てた『鷹の爪』を全量引き取る契約を結ぶことで日本の唐辛子の風味を守っています。

なぜ日本が「世界一おいしい国」になったのか

前述の宮田裕章先生がおっしゃっている通り「ルネサンス」に匹敵する程の発展を遂げた日本の「食」文化は世界中から注目を浴びていますが、なぜ日本がこれほど豊かな食文化を築けたのでしょうか。日本の食文化が持つ独自の精神性や多様性がどのように生まれて磨かれていったのか。そこには5つのポイントがあります。

1．地球の縮図のような多様な地形

近年、料理界で「ジオ・ガストロノミー」という言葉が注目されてきています。食を気候や風土、地形など、自然環境という観点で分析する考え方です。その言葉の通り、どのような自然環境にあるかがその土地の食文化に大きく関わっているからです。

■ 図11:日本と西ヨーロッパの面積比較

出典:https://thetruesize.com/

「日本は島国であり、国土の狭い小国だ」と教わりませんでしたでしょうか。でも、実は、日本は緯度の差が25度、東西の幅は３１４２ｋｍにも及びます。日本を欧州と重ねるとその広さに改めて驚かされます。

南北に長い国土を持つ日本には、６５００を超える島々と３００００を超える河川、１万６０００を超える湧水地があります。地表には３０００メートル級の山々が広がり、国土に占める森林面積は約66%と、先進国有数の森林大国でもあります。また、リアス式海岸を含めた海岸線の長さは世界６位で、海底には６０００メートル級の海溝も。四季の変化があり、植物にも多様性がある。さらに火山活動が活発な地盤と、まるで地球の縮図とも言えるバラエティ豊かな地形が広がっています。

山と海の距離が近いため流れの速い川も多く、そのことが山の斜面を利用した棚田に結びつくなど、治水技術の発達につながりました。同時に、人里と森の間に人の手で雑木林をつくって薪などの必要物資を確保する、という知恵も誕生。山の麓から河口に至るまで、地形や高度に合わせて自然をコントロールして「おいしい」をつくるシステムを構築したのです。樹木が守られたことにより、漁業も発展していきました。たとえば豊かな漁場として知られる伊勢湾は、南アルプスから続く大きな川と、日本一の雨量を誇る紀伊半島からの雨水が流れ込む遠浅の海です。ここに注ぎ込まれる豊富な山の養分がプランクトンを発生させ、小魚や貝類が育ち、それを黒潮に乗ってやってくる大型魚が食す、という生態系が生まれているのです。

このような自然が長らく守られてきたのは、適度に人の手を加えながらも自然と共生する「里山・里海」と呼ばれる集落が日本人の生活の場だったから。現在は失われつつありますが、高度経済成長期を迎える前まで、こういった暮らしが一般的でした。この自然の循環と一体化した食と暮らしの在り方が、日本の「おいしい」を形づくる自然を守り、今につなげてきたのです。

2. 食に感謝する精神性

日本では、自然の恵みに対する畏敬の念から、お天道様や雷様、森の神、水の神、稲の神など森羅万象に神が宿るという概念が定着していきます。これが、神道における「八百万神」を形成していきますが、じつは神事と食にも深い関係があります。

神様へのお供えは主食であるお米に始まり、お酒や塩のほか野菜や魚といった地元の産物を捧げます。お祭りでは、神様にお食事のおもてなし(お供え)をした後、参列者がそのお下がりをいただく「直会(なおらい)」という行事があり、供え物を食べることで神と人が一体となると考えられてきました。

たとえば、勤労感謝の日に行われる「新嘗祭」は古事記にも記されている古いお祭りで、その年に収穫した穀物を天と地の神々にお供えし、収穫への感謝を込めてそれらでつくった食事を味わいます。食事の前に「いただきます」、後に「ごちそうさまでした」と言うのは神様に対する収穫への感謝の現れ、という説があるのはそういった理由です。

食と神事のつながりは、料理にも表れてきます。平安時代に誕生した「庖丁式」は、庖丁と箸を使って食材を美しく切り分けて盛りつけるおめでたい日に行われる儀式で、料理にまつわる神様を祀る神社では現在も神事として奉納されています。

このように古くから培われた、恵みをいただくという精神性が調理の丁寧さや、どの部位もムダにしない工夫など、日本の食の在りように反映されています。

3.優れた製鉄技術

日本人にとって、包丁がよく切れるのはあたりまえのような感覚がありますが、製鉄技術が広まる以前の時代は、包丁と言えば力を込めてぶつ切りにする道具、という国もたくさんありました。切れ味の鋭い日本の包丁が誕生した背景には5～6世紀から始まった「たたら製鉄」に象徴される、優れた製鉄・鋳造・加工技術があります。

1543年、種子島に漂着したポルトガル人が鉄砲をもたらしましたが、そこからわずか30年後、1575年の「長篠の戦い」において、織田・徳川連合軍による鉄砲隊が武田軍に大打撃を与えたとされ、そのとき使われた鉄砲の数は1000挺とも3000挺とも言われています。この史実については諸説ありますが、当時のアジアで鉄砲の国産化に成功したのは日本だけ、というのは事実です。

古くから発達してきたこれら製鉄技術のシンボルが日本刀で、料理に使う和包丁も同様の手法でつくられてきました。

その特徴は「切れ味」です。

切れ味のいい包丁は食材の組織をつぶさないので、旨みや栄養素を逃がさず、雑味が発生しづらい、という特徴があります。刃物をつくる技術が早くから確立されていたことが、素材の繊細な味わいを大切にする、日本の「おいしい」の誕生を陰で支えた、と言っても過言ではありません。

4・発酵

味噌に醤油、納豆に漬け物、かつお節と日本の食卓になじみ深いのが発酵食品です。本来、発酵という文化は日本特有のものではなく、東南アジアや東アジアをはじめ、各国で見られるものですが、気温や湿度などの条件が適しており、周囲を海に囲まれて塩が豊富に採れたことから、日本は世界有数の発酵大国となりました。

多種多様な発酵食品が各地で生まれた理由のひとつが、発酵させることで保存が利くという特徴です。雪国では越冬用の保存食として活用されましたが、日持ちが良くなることで実現した大きな功績は、生鮮食品では難しい長時間の輸送を可能にした点です。

たとえば、福井の小浜から京都の大原を結ぶ若狭街道は「鯖街道」と呼ばれています。これは多くの鯖が運ばれたことに由来しており、若狭湾で獲れたばかりの鯖に塩をかけて出発、一昼夜歩いて京都に着く頃にはちょうどいい塩梅になっていた、と言われています。

発酵のチカラが日本各地に多様な「おいしい」を届け、料理文化を活性化させる一助になったのです。

5.黒潮文化と聖徳太子

日本の「おいしい」を考えるうえで非常に重要なポイントは、この国が地政学的に「黒潮文化圏」にあるということです。

東南アジアから沖縄を通り、紀伊半島を経て関東まで流れ着く「黒潮」は、メキシコ湾流に次ぐ世界で2番目に大きい海流です。太古の昔から続くこの流れが、ありとあらゆる沿岸諸国の文化をさながらベルトコンベアのように日本にもたらしてきました。

飛鳥時代に仏教が伝わったのも黒潮によるものとされ、その足取りはインドを起源に、中央アジアから中国、そして朝鮮半島の百済から日本へとつながっています。

日本の食文化も様々な影響を受けており、たとえばわたしたちが日常的に飲んでいる「お茶」は、文化が大きく花開いた南宋時代の中国から伝来しています。また、黒潮沿岸のフィリピンとインドネシアには「チャンプル」という言葉が「混ぜる」という同じ意味で存在し、それぞれ「チャンプル」という料理もあります。これが沖縄に流れ着いて、炒め料理「チャンプルー」になり、黒潮の分岐に沿って九州ではちゃんぽん、関東ではちゃんこになった、という説があります。

ここでのポイントは、インドや中国は長い間、多民族が集まるいろいろな国の集合体のようなものだった、という歴史認識です。現代の感覚だと「インド」「中国」という人口の多い2カ国と捉えがちですが、かつてのアジアとは無数の民族による無数の文化が散りばめられた小宇宙のような場所で、そんなアジアの多様性が黒潮によって流れてきた、というイメージを持つことが大切です。

また、聖徳太子の存在も日本の食文化に大きな影響を与えたと考えられます。彼が掲げた「和を以て貴しと為す」という言葉は、ありとあらゆる文化を排除せずにリスペクトすることによって未来をつくっていくのだという壮大なる国家ビジョンでした。「7つのことを同時にしていた」というエピソードは、「7ヵ国語を操り、様々な国の人々と交流を図っていた様子だった」という説もあります。つまり、国づくりのために海外のありとあらゆるノウハウを取り入れ続けたということ。異文化を取り入れ、自国の文化と調和させるという日本の食文化の基盤は彼がつくったのです。

後に日本は200年以上続く鎖国の時代を迎えますが、海外から伝播したスパイスやハーブの文化が七味唐辛子や柚子などの和風香辛料になっていったように、流れ着いた文化が国内で熟成され、独自の発展を遂げていきます。明治維新の後はそこに洋食文化も加わり、現在の食生活へとつながってきました。

日本各地で育まれた「おいしい生態系」

広大な太平洋に面し、4つの海流に囲まれた独特の気候や地形に助けられ、自然の力をうまく制御しながら共存共栄の形をつくった先人の努力にも助けられ、黒潮に乗ってやってくる海外の食文化に刺激を受け、神道の精神性や、製鉄の技術にも支えられた。

これらの経緯を紐解くと、日本の「おいしい」がいかにオリジナリティに富んでいるかを感じられるのではないでしょうか。しかも、それらが1つの地域に集中するのではなく、全国各地で育まれてきました。その結果、**味噌汁の味が関西と関東で違う、隣の県で違う、といった具合に地域それぞれの「おいしい生態系」が誕生したのです。**

代表的な地域として関西の「おいしい」を紹介してみましょう。関西が誇る食の特徴として「調味」の技術があげられます。日本が「調味技術」に優れていることは、フレンチやイタリアンをはじめ、外国料理の分野でも日本人シェフが活躍し、ミシュランの星を獲得できることが証明しています。たとえ文化が異なろうとも「おいしい」を感じ取って調和させられるのです。

その「調味」の技術において、日本の屋台骨と言えるのが関西圏です。先ほど出た「和風香辛料専門店『やまつ辻田』」があるのも大阪です。ほかにも、兵庫県・尼崎市にある『ハリマ食品』は、醤油やポン酢といった調味料を夫婦ふたりで製造する小さな会社です。

こちらの代表製品である『ワンダフルソース』は一般販売しない業務用のソース。甲子園球場の名物『甲子園焼きそば』に使うソースをはじめ、飲食店向けに卸されています。

新鮮な野菜類と香辛料を用い、手間暇かけてつくられる『ワンダフルソース』。

昭和39年の創業当時から使いつづける木桶を用いた昔ながらの製法で、粉末野菜などの加工品は使わずにスライスしたフレッシュな野菜類と香辛料を丁寧に煮詰めてつくります。しかも、全国にファンがいる大阪のお好み焼き専門店『パセミヤ』専門ブレンドのソースなど、取引先ごとの要望に合わせて配合を変えたオリジナル商品を生産

■ 図12：関西の食の生態系

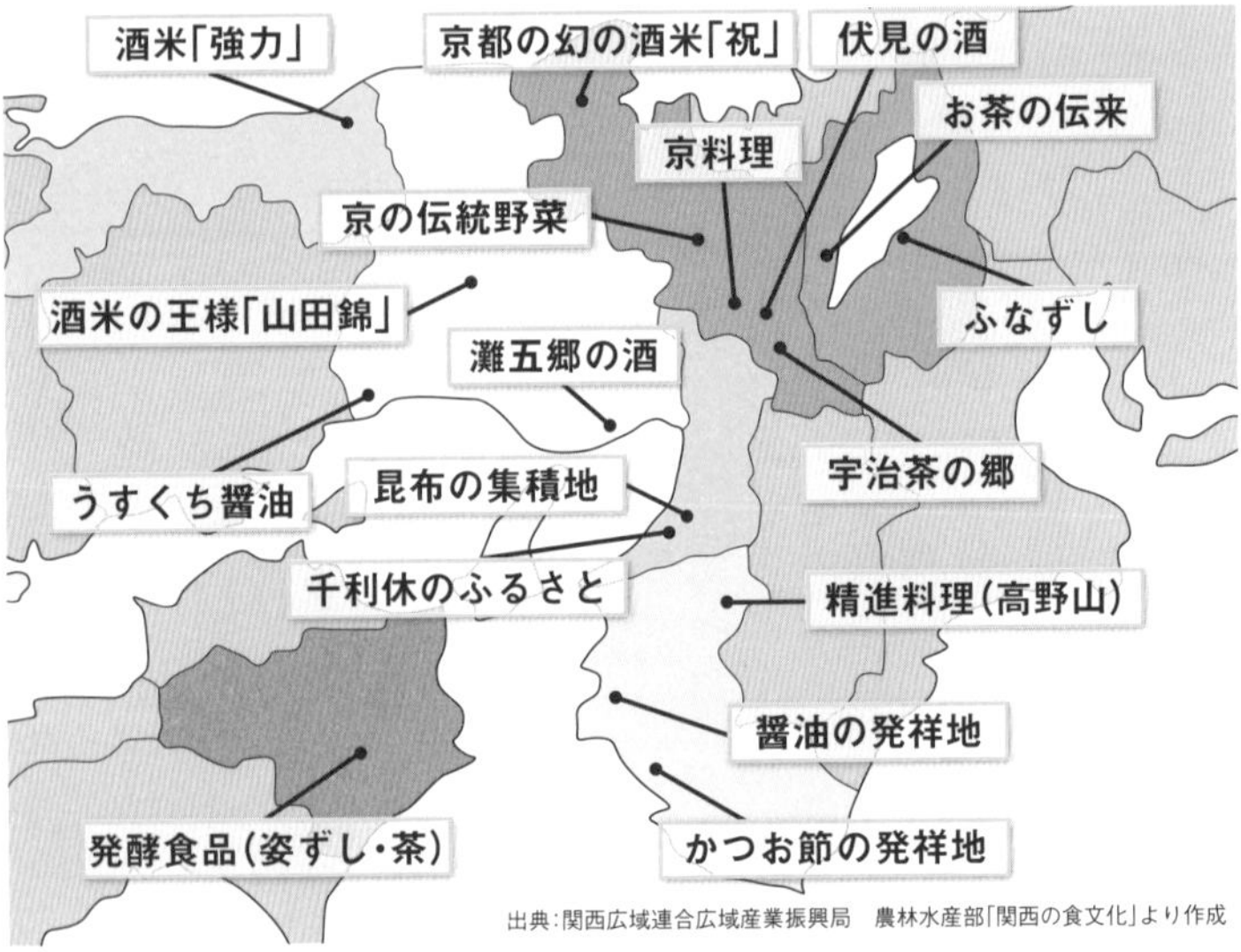

出典：関西広域連合広域産業振興局　農林水産部「関西の食文化」より作成

するというのですから驚きです。

関西圏に優れた食品メーカーが無数にあるのは、古くから調味を営んできた歴史の賜物です。都のあった京都、生活物資の集積地として物流と商いの拠点だった大阪など、江戸幕府ができる前から政治や文化の中心地として栄えた関西エリアは、全国から届く様々な食材と周辺地域の豊富な農作物によって早くから食文化が洗練されていきました。

こんぶやかつお節などの「だし文化」、醤油や漬物、鮒寿司といった「発酵食」のほか、素材の良さを生かしながらおいしさを引き出す技術の高さは、大阪が天下の台所と呼ばれた時代から今でも変わっていません。「梅干しと言えば和歌山」などと言われるように、食に専門性を持った地域も数多くあり、世界でも類を見ない「おいしい生態系」を築いています。

次ページには、日本の「おいしい」がいかに多様性に富んでいるかを知っていただく、47都道府県ごとの名産品や伝統食をまとめています。

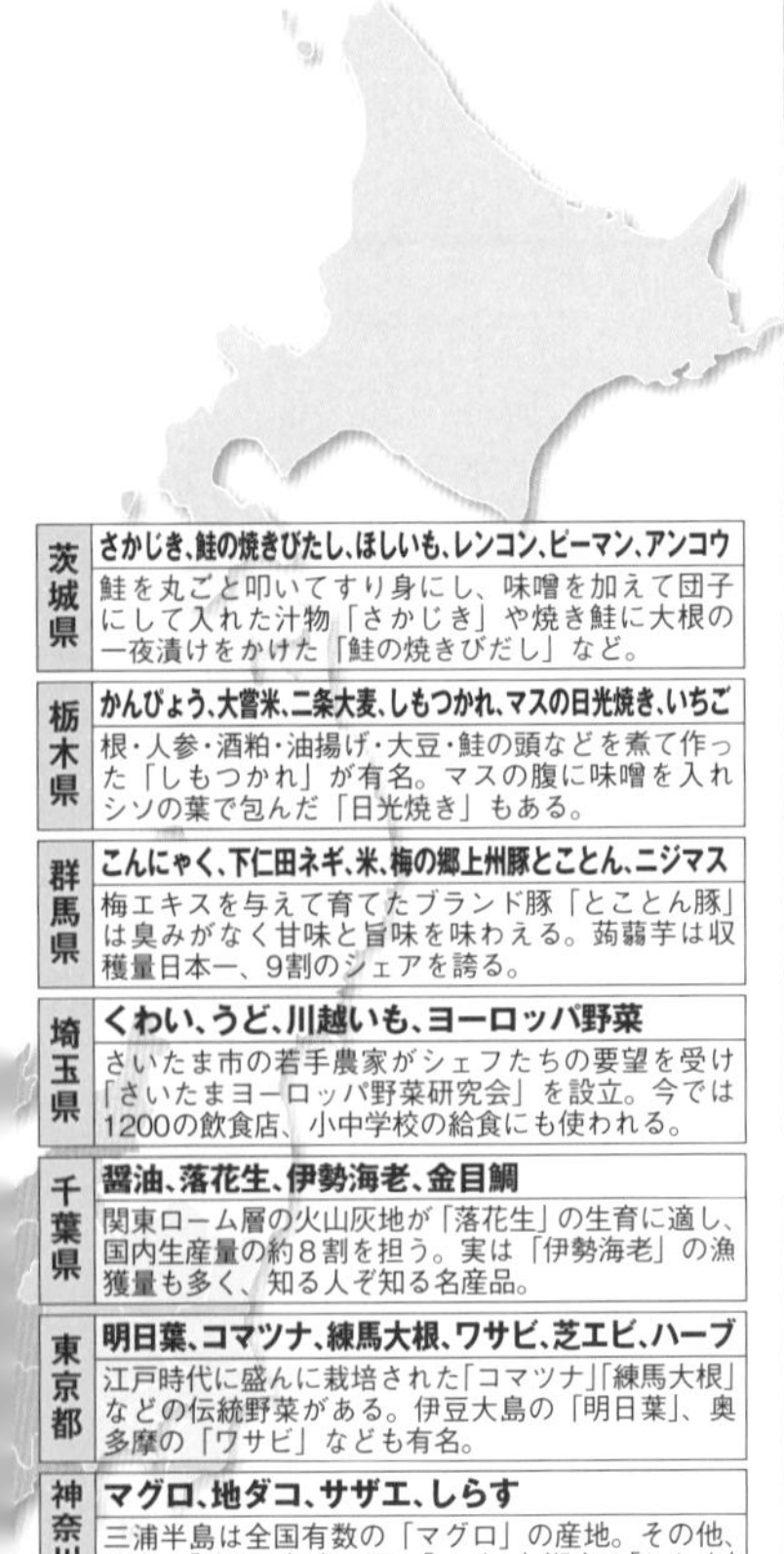

北海道
海産物、こんぶ、ジビエ、ニシン、鮭、酪農製品
広大な大地と明確な四季。すべての地形の要素が詰まった食文化。牛乳・チーズなど土地を生かした酪農製品も豊富に揃う。

青森県
あかつきの会、けの汁、ほたての貝焼き味噌、りんご、シードル
高齢者の家を回り、伝統あるレシピを集めて継承する「津軽あかつきの会」。「けの汁」は根菜や山菜、油揚げなどを刻んだ栄養満点の味噌汁のこと。

岩手県
ホタテ、里芋、ホップ、曲がりじゃけ、単角牛、豆腐田楽、いちご煮
三陸で獲れる海産物が名物。「曲がりじゃけ」は鼻がカギ形に曲がった雄鮭。「いちご煮」はウニとアワビを使ったお吸い物のこと。

宮城県
ずんだもち、米、いちご、サバ、うに
広大な平野が生み出す穀物など豊かな食文化。夏の数日間しか収穫できない、熟す前の若い大豆を使ったずんだもちはお土産の定番品。

秋田県
米、きりたんぽ、純米酒、ふき、いぶりがっこ、山内にんじん
米を使った加工品やマタギ文化からくるジビエが特色。「山内にんじん」は長さ30cmほどと大きく、色も濃く、香り・甘味の強いのが特徴。

山形県
酒、芋煮、佐藤錦、だだちゃ豆、山形牛
「だだちゃ豆」は山形県鶴岡市でしか栽培されないブランド枝豆。「佐藤錦」は佐藤栄助氏によって交配された品種でさくらんぼの王様と言われる。

福島県
がに巻き、鮭のもみじ漬け、にしんの天ぷら、桃、あんぽ柿、会津地鶏
モクズガニをすり潰した汁物「がに巻き」や鮭といくらを麹で漬け込んだ「もみじ漬け」、渋柿を硫黄で燻製した「あんぽ柿」などが郷土料理。

茨城県
さかじき、鮭の焼きびたし、ほしいも、レンコン、ピーマン、アンコウ
鮭を丸ごと叩いてすり身にし、味噌を加えて団子にして入れた汁物「さかじき」や焼き鮭に大根の一夜漬けをかけた「鮭の焼きびだし」など。

栃木県
かんぴょう、大嘗米、二条大麦、しもつかれ、マスの日光焼き、いちご
根・人参・酒粕・油揚げ・大豆・鮭の頭などを煮て作った「しもつかれ」が有名。マスの腹に味噌を入れシソの葉で包んだ「日光焼き」もある。

群馬県
こんにゃく、下仁田ネギ、米、梅の郷上州豚とことん、ニジマス
梅エキスを与えて育てたブランド豚「とことん豚」は臭みがなく甘味と旨味を味わえる。蒟蒻芋は収穫量日本一、9割のシェアを誇る。

埼玉県
くわい、うど、川越いも、ヨーロッパ野菜
さいたま市の若手農家がシェフたちの要望を受け「さいたまヨーロッパ野菜研究会」を設立。今では1200の飲食店、小中学校の給食にも使われる。

千葉県
醤油、落花生、伊勢海老、金目鯛
関東ローム層の火山灰地が「落花生」の生育に適し、国内生産量の約8割を担う。実は「伊勢海老」の漁獲量も多く、知る人ぞ知る名産品。

東京都
明日葉、コマツナ、練馬大根、ワサビ、芝エビ、ハーブ
江戸時代に盛んに栽培された「コマツナ」「練馬大根」などの伝統野菜がある。伊豆大島の「明日葉」、奥多摩の「ワサビ」なども有名。

神奈川県
マグロ、地ダコ、サザエ、しらす
三浦半島は全国有数の「マグロ」の産地。その他、佐島の「地ダコ」、小田原の「サザエ」、湘南の「しらす」など海産物が豊富。

新潟県
米、酒、おけさ柿、寒ブリ、ノドグロ
日本最大の面積を有する越後平野の広大な耕作地による米や酒造りが盛ん。「おけさ柿」はタネがなくとろけるような甘味が特徴のブランド柿。

富山県
米、ブリ、ホタルイカ、シロエビ、白ネギ
富山湾の宝石と呼ばれる珍味「シロエビ」や国の特別天然記念物に指定されている「ホタルイカ」に「ブリ」など豊富な海産物が獲れる。

石川県
のどぐろ、カニ、酒、金沢カレー
ステンレスの皿に黒っぽいカレーとカツ、千切りキャベツを載せた独特のスタイルの「金沢カレー」がソウルフードとして愛されている。

福井県
米、酒、カニ、すき焼き
毎年その味を求めて全国から人が集まる「越前ガニ」はズワイガニの中でもトップブランド。コシヒカリの発祥の地と言われるほど稲作も盛ん。

山梨県
ほうとう、吉田のうどん、桃、ワイン
富士吉田の郷土料理「吉田のうどん」は日本一硬い麺とも言われる歯応えとコシの強さが特徴。太いヒラ麺と具材を煮込んだ「ほうとう」も有名。

長野県
おやき、わさび、信州そば、野沢菜、ワイン
北アルプスの雪解け水で生育する「わさび」が名産。そばの生産量も多く、長野県の各地で様々な食べ方、名称のそばがある。

岐阜県
飛騨牛、茶、赤かぶ、鮎料理
飛騨の山々と多くの河川があり、鮎は「清流長良川の鮎」として世界農業遺産にも登録されている。「美濃茶」と呼ばれる茶の生産地でもある。

静岡県
茶、うなぎ、桜エビ、しらす、カツオ、金目鯛
約500キロメートルに及ぶ海岸線を持ち、「桜エビ」「カツオ」の漁獲量は日本一を誇るほか、「うなぎ」「金目鯛」など海産物が豊富。

愛知県
八丁味噌、きしめん、台湾ラーメン、あんかけスパゲティ
大豆と塩のみを使い2年以上熟成させた「八丁味噌」が特産品。激辛の「台湾ラーメン」や「あんかけスパゲティ」など独自の食文化がある。

■ 図13：日本全国のおいしい食文化

鳥取県
原木しいたけ、砂丘らっきょう、ハタハタ
肥料や農薬を使わない原木栽培の「原木しいたけ」に力を入れる。らっきょうの大産地でもあり「砂丘らっきょう」として愛されている。

島根県
出西しょうが、津田かぶ、多伎いちじく、米
この地でしか育たないと言われる幻の品種「出西しょうが」、まが玉状の赤かぶ「津田かぶ」、多伎町の名産「多伎いちじく」などがある。

岡山県
黄ニラ、ブドウ「ピオーネ」、黒大豆、桃
日光を遮断することで黄色に色づき、生でも食べられるほど柔らかく甘味のある「黄ニラ」の産地。「桃」や「ピオーネ」など果物栽培も盛ん。

広島県
クワイ、赤梨、カキ
福山市の「クワイ」は生産量日本一。幸水や豊水など「赤梨」系の産地である。広島湾の「カキ」は歴史も古く、全国の約5割が生産される。

山口県
ブロッコリー、岩国レンコン、柑橘類、瀬つきアジ
身の詰まったモチモチ食感の「岩国レンコン」の産地。海に囲まれた地形から漁業も盛んで、天然礁（瀬）に住み着いた「瀬つきアジ」などが有名。

三重県
伊勢海老、あのりふぐ、松阪牛、伊賀牛、酒、赤福餅
伊勢湾を含む熊野灘、遠州灘での漁業が盛んで、「伊勢海老」や安乗漁港などで獲れる天然トラフグ「あのりふぐ」などのブランドがある。

滋賀県
鮎、マス、赤丸かぶ、安土信長葱、近江牛
琵琶湖で獲れる「鮎」や「マス」が名産品。「近江牛」は最古のブランド牛とも言われる。近年広まった「安土信長葱」は太さが自慢の白ネギ。

京都府
京漬物、京野菜、京菓子、宇治抹茶
野菜作りに適した土壌や地形もあり、伝統的な「京野菜」作りを行う。内陸地であることから保存の効く漬物文化も古くから発達した。

大阪府
たこ焼き、お好み焼き、なにわ黒牛、なにわ野菜、調味料
通常より5カ月以上長く肥育し味にこだわった「なにわ黒牛」や約100年前から伝統的に栽培された在来種「なにわ野菜」などがある。

兵庫県
神戸牛、丹波の黒豆、春日大納言、明石焼き、玉ねぎ
大粒でふっくらした食感の高級食材「丹波の黒豆」や在来品種の小豆「春日大納言」、辛みの少ない「淡路島玉ねぎ」などが有名。

奈良県
酒、米、柿、はちみつ、レタス、ほうれん草
「柿」は全国第2位の生産量を誇る。その葉っぱでサバや鮭と米を包んだ「柿の葉寿司」も人気。また、養蜂の始まりの地とも言われている。

和歌山県
サヤエンドウ、山椒、梅、はっさく、醤油、サンマ、マグロ
山椒の生産量は日本一で「ぶどう山椒」という大粒の実が連なったものが名物。「醤油」作り発祥の地とされ、伝統的な製法が伝承されている。

徳島県
なると金時、阿波和三盆糖、祖谷そば、阿波尾鶏
竹糖という品種のサトウキビから作られる「阿波和三盆糖」、低脂肪で旨みのある地鶏「阿波雄鶏」などの独自ブランドを持つ。

香川県
オリーブ、キウイフルーツ、讃岐うどん、いりこ
小豆島で栽培される「オリーブ」は全国の収穫量の約9割を占める。「キウイフルーツ」の栽培も盛んで多数のオリジナル品種がある。

愛媛県
みかん、柑橘「紅まどんな」、青いレモン、天狗黒茶
とろける食感の高級柑橘「紅まどんな」、皮まで食べられる「青いレモン」など柑橘類の生産地。2度発酵させた「天狗黒茶」は希少品種。

高知県
カツオ、しょうが、四万十の青のり、おぼろ昆布
四万十川は全国でも数少ない天然の青のりが獲れる。「しょうが」の生産量は全国一位。「カツオ」消費量も日本一で特にカツオのたたきは有名。

福岡県
博多万能ネギ、あまおう、福岡の八女茶、明太子
白い部分がほとんどない「博多万能ネギ」、大粒のいちご「あまおう」が有名。茶の産地でもあり甘みの強いブランド「八女茶」がある。

長崎県
長崎びわ、旬アジ、旬サバ、対馬アナゴ、あご
6800の島がある日本の14%、971の島を有し、豊富な漁場を持つ。「長崎旬アジ」「長崎旬サバ」などが代表。対馬の「アナゴ」も水揚げ量日本一。

大分県
サンセレブ、豊後牛、冠地鶏、関アジ、関サバ
ゼリーのような食感の柑橘「ゼリーオレンジ・サンセレブ」や烏骨鶏を交配した「冠地鶏」など大分オリジナルのブランド食材がある。

鹿児島県
焼酎、サツマイモ、オクラ、紅甘夏、地鶏、黒豚、とこぶし
日本一の生産量を誇る「さつまいも」とそれを使った「焼酎」などが有名。アワビに似た巻貝「とこぶし」も種子島を中心に多く生産される。

佐賀県
豆腐、佐賀牛、佐賀海苔、米、茶
全国有数の大豆の産地で、おいしい「豆腐」の産地でもある。トップクラスの肉質を誇る「佐賀牛」や有明海で獲れる「佐賀海苔」なども名品。

熊本県
阿蘇高菜、サラダタマネギ、デコポン、あか牛
阿蘇の火山灰地と寒冷な気候に適した「阿蘇高菜」が伝統野菜。辛味が少なく生で食べられる「サラダタマネギ」の栽培にも力を入れる。

宮崎県
宮崎牛、マンゴー、なす、地鶏、焼酎
日本有数の「マンゴー」の産地で、最高級品は「太陽のタマゴ」というブランドで人気を集める。「焼酎」の出荷量も日本一で多くの商品がある。

沖縄県
ゴーヤ、パイナップル、海ぶどう、ぐるくん、キハダマグロ
「ゴーヤ」「パイナップル」など熱帯地の食材が栽培させる。「ぐるくん」はタカサゴの別名で安くて美味しいと沖縄の食卓で親しまれている魚。

「おいしい」が生かされていない国・日本

日本は「おいしい」に関して世界屈指の国ですし、それだけで国外から人を集めるチカラを持っています。また、朝は白米と魚と味噌汁、昼はパスタとサラダ、夜はハンバーグやカレーなど、1日3食のレパートリーがこんなにも豊富で多様性に満ちた国は他に類を見ません。しかし、まだその素晴らしいポテンシャル全てを国の財産として十分に発揮できずにいます。「世界一おいしい国・日本」であると同時に「おいしいが生かされていない国・日本」であるのが現状です。

なぜでしょうか。

「日本の食はおいしい」という認識はあっても、その「おいしい」がどういう背景によって生まれてきているのか、どこが強みなのかを知らなすぎる。どうも「日本食は伝統と歴史があってすごいんだ」「納豆はカラダにいい」「フグも刺し身で食べられるんだぜ」といった、小さな枠組みで捉えがちである……これは食産業で働く人でも同様です。

世界の環境問題にどう貢献できるか、自分たちの暮らす社会をどう良くできるか。さらには国家的な強みとしてどう国際社会における優位性にしていくのか、という広い視点で食を語る段階にまでなかなか到達できずにいます。

日本が「おいしい」のチカラを発揮できない理由に共通するのは、世代間・業界間に表れている日本のコミュニティの分断です。「効率よく大量に」が重んじられる時代にできた垂直構造の名残とも言えるこれらを「サスティナブルで高品質」が求められるこれからの時代に合うよう、再編成する必要があります。

ここからは、「世界一おいしい国」であるにもかかわらずそれが生かせていないことの背景と、逆にそれをアップデートすることで大きなチャンスが生まれることを、「食の歴史」から示していきたいと思います。

産業界の「横の分断」

まず、「世界一おいしい国」という資産を生かせていない背景を紐解いていきます。

過疎化の問題を指摘した際、世代間のギャップという「縦の分断」について触れました。しかし、日本の産業構造を俯瞰してみたとき、「横の分断」がボトルネックになっていることがよくわかります。

昭和の時代、増え続ける人口や伸び続ける経済に対応するべく、様々な産業が大量生産・安定供給を目指して切磋琢磨しました。そのとき取り入れられたのが、親会社のもとに下請け・孫請けが紐付くことで効率よく研究やものづくりを進める「垂直統合型」のシステムです。自動車や家電に代表される製造業が中心となって、その方法で日本の経済を牽引していきました。

しかしSDGsが重要視される近年は、大量につくることより、高品質でサステイナブルであることのニーズが高くなり、「A社がバッテリーを、B社がエンジンを手掛ける」といった、各社の強みを組み合わせる水平型のシステムに移行しています。

こういった横軸のつながりによるコミュニティ化の動きは、ますます加速すると考えられるのですが、日本では未だに縦割り構造のままの産業も多く、横の連帯が不十分です。

「おいしい」を支える食産業も、その流れにもっとも立ち後れている業界のひとつです。

国内にある食関連産業は、全体で約117兆円、その内訳は農林漁業12・5兆円、食品製造業（食品加工）38・1兆円、関連流通業（小売）32・5兆円、外食産業29・2兆円、その他4・9兆円となっています（2018年・国内生産額）。

もしこれらの食産業がひとつに連帯すれば、おいしい野菜をつくる生産農家と匠の技を持った生産加工場、ホスピタリティ豊かな外食産業が水平的につながり、それぞれの得意分野が生きるよう役割分担をして、利益を分配することが可能になります。

しかし実際は、縦割りで分断されたままです。たとえば農林水産省は「6次産業化」という言葉で、農林漁業者の生産物の価値を高めることを目指して、自分たちで食品加工や流通にも取り組むようにと奨励しています。この方法は農家に多角経営を求めるようなもので、成果よりも負担を増やしてしまうという側面があります。

コロナ禍でも、農家で余ってしまった野菜を使って商品を開発・加工し、流通業者を通して販売したり、外食の店頭で利用したりするなど、食業界同士スムーズに連携できれば解消できた問題も多かったはずです。日本に住む人々の胃袋の数は変わらないにもかかわらず、食産業全体が苦しい思いをしたのは、農業は農業、メーカーはメーカー、外食は外食と、全員が柔軟性のない「一本足打法」のまま勝負を続けていたからではないでしょうか。

今、こうした社会構造の変化が必要とされています。そのためにコロナ禍を単なる災厄ではなく、次の価値観へとパラダイムシフトを起こすための絶好のチャンスだ、と考える。実際、外出自粛をきっかけにして働き方や生活を見直す動きが生まれました。この流れを止めず、次の30年、100年を見据えた新しい仕組みをつくっていくべきなのです。

社会のターニングポイントには食の革新がある

新しい仕組みをどうつくっていくか。
誰もが頭を悩ませる非常に難しい問題ですが、そんなときわたしは「歴史」にヒントを求めるようにしています。

わたしは歴史が大好きで、日本史・世界史を問わず歴史の本をよく読みます。古から続く人々の営みにロマンを感じるという魅力もありますが、過去の出来事を知ることで、「だから『今』がこうなっているのか！」と、目の前の現象の理解が深まることがよくあります。「歴史」を行動と結果との関連性を示す良き事例と捉えれば、未来の可能性を予測するツールとして活用できるのです。

人類が農耕定住社会を形成するようになってから約一万年。有史以来の「人」と「食」の歴史に思いを馳せつつ、近現代に起きた大きな社会変化と、それに伴って起こった食の革新を少しご紹介したいと思います。おもしろいことに、新しい世界はいつだって「食」とともにあったのです。

1700～1800年代
大都市の誕生と食の民主化

現代の食生活に深く関わっているのが、18世紀にイギリスで始まった「産業革命」です。蒸気機関という新しい動力源の登場により、糸を紡ぐ紡績機や布を織る織機などが開発され、工業的な技術革新に成功。蒸気船や鉄道の誕生といった交通革命も起こり、急速に

「工業化」が発展した、と教科書でも習ったのではないでしょうか。

この頃イギリスでは農業改革も進められており、効率よく収穫量を上げられる大規模農園が増えていました。これが交通の発展と相まって、大量に収穫した作物を各地に届ける「物流」が誕生します。各地に食料が行きわたるようになると、当然人口が増える。そこで地方を離れ、都市で工場労働者になる若者も増加、大都市が誕生しました。

自給自足・地産地消の分散型社会が終わり、都市に人が集まる時代が始まったのです。

この動きに合わせて起こったのが「食の工業化」です。

たとえば本来コーヒーは、生豆を焙煎し・挽いて・淹れる、というプロセスを踏まないと飲めないものです。しかし現代のわたしたちは、どこでも気軽にコーヒーを買うことができます。これは焙煎機などの食品を加工する機械が誕生したうえ、物流を通して加工品を各地に届けることが可能になったから。つまり食べる分だけつくるのではなく、材料の段階から工業的に大量加工し、まとめて製品化する体制がつくられたのです。

こうして大量生産・大量消費時代の土台ができていくと同時に、貧富の差こそあれ、多くの人に一定品質の食材が行き渡るようになりました。言うなればこのとき「食の民主化」が始まり、現代を生きるわたしたちはその恩恵のもと、豊かな食生活を手にしているのです。

わたしが所属する外食業、つまりレストランも、「厨房」という機械工業製品によって可能になったもので、当時は革新的なビジネスであったはずです。外で食事ができる場所＝レストランや一般家庭におけるキッチンの出現は、当時のライフスタイルの変化を促すイノベーションだったのです。

1900年代　ピストルから包丁へ

次のターニングポイントは、第二次世界大戦後のアメリカです。

世界はこの頃から、戦争ではなく経済で覇権を争う時代に変化し、食もそういった動きの一翼を担うこととなりました。

終戦の翌年である1946年、アメリカ・コネチカット州の弁護士フランシス・ロスさんが、アメリカで初めて料理の専門学校を開きました。彼女の狙いは、まだ発展途上だったアメリカの料理文化の中心となる学校をつくることでした。

開校当初は大戦から戻った退役軍人たちを対象に、まるで「男たちよ、ピストルを捨てて包丁と鍋を持て」とばかりに料理の訓練が開始されました。この学校がカリナリー・インスティテュート・オブ・アメリカ（CIA）。前述の通り現在は「食のハーバード」と呼ばれる世界的な名門調理師学校に成長しています。

CIAの誕生は、料理は家庭で女性がするもの、という当時の先入観をも変えていきました。その先駆者となった卒業生たちはシェフとして活躍するだけでなく、食品メーカーを立ち上げたり、レストラン経営を始めたりとフードビジネスに続々と参入していきました。経済力が国力を支える時代がやってきたのと連動し、食品会社をはじめ、ファストフードや外食チェーン店といった産業がアメリカ社会に浸透、「ビジネスとしての食」が活性化していったのです。

戦後日本

高度経済成長と「カイゼン」の源泉

一方、この頃の日本は戦争に負けたばかりで、国の体制を必死で再構築している最中でしたが、この復興を支えたのが、食に携わる第1次産業の人たちの「発想力」でした。

明治維新以降、日本は富国強兵の一環として工業に力を入れてきました。戦後もその体制をベースに、自動車や家電など新たな産業を加えて、経済で国力を再生しようとしたのです。このときイギリスの産業革命期と同様に、工場労働者の増加と、地方から都市へと向かう急激な人口の移動により大都市が誕生していきます。

1954年から高度経済成長が始まり、日本は本格的な復興へと向かっていくのですが、以前『三洋電機』（当時）の井植敏会長にお会いする機会があり、こんな話を伺いました。

今や世界的に有名になった、日本の工場における「カイゼン」（作業効率の向上や安全性の確保について、常に見直す活動のこと）ですが、それを支えたのが地方から出稼ぎでやってくる兼業農家の人たちだった、というのです。

というのも、夏は日照り、冬は霜や雪など、予期できない自然の変化にさらされる農業は、言われたことをただやっていてもダメで、「もっとこう変えたほうがいいのではないか」という発想を常に要求されるクリエイティブな仕事です。彼らは工場でもマニュアル通りの単純作業をよしとせず、常により良い方法を提案し続けたのだとか。「彼らの発想力が現場を改善し、日本の高度経済成長を支えてくれたんですよ」と井植会長はおっしゃいました。

ここで注目したいのは、異なる価値観をもつ人々が集まって知的交流を行うとイノベーションが起きやすい、という点です。これは過去100年においては地方より多種多様な価値観が集まる都市のほうが、イノベーションが活性化したことを示唆しています。

そういった多様性のある都市の最たるものが、江戸時代から人口100万人を抱え、当時他国でも類を見ない世界有数の循環型都市として栄え、戦後も仕事や情報を求めて多くの企業や人口が流入を続けてきた東京です。

東京一極集中には賛否両論ありますが、日本中のあらゆる文化やライフスタイルが集まり、ビジネス・アート・カルチャーといった様々なイノベーションを生んだことは紛れもない事実。加えて情報の発信拠点として、日本の魅力を世界各国に知らしめる役割も担ってきました。

食も、東京が生んだイノベーションの例外ではありません。カレーからイタリアン、フレンチに中華まで、国内外のありとあらゆる食文化が人口の多い東京に集まったからです。当然、ビジネスになるところに優秀なシェフが集まりますし、最新の料理トレンドも常に流入してきます。ライバル店が無数にあることでお互いが切磋琢磨し、技術や味も高まり続けました。つまり日本の食がこれだけ高度化し、世界一おいしい国へと成長したのは東京があったから、とも言えるのです。

1970年
日本の外食元年

アメリカでは戦後間もなく外食産業が発展していきましたが、日本でその動きが出てきたのは高度経済成長期。ここで日本各地の食生活が現代の形へとシフトしていきました。

日本の外食元年は大阪万博が開催された1970年だと言われています。この年『すかいらーく』第1号店ができ、大阪万博に『ケンタッキーフライドチキン』が出店しました。翌1971年には『マクドナルド』第1号店が銀座にオープン、その後も『デニーズ』などのファミリーレストランやファストフード店のチェーン展開が進んでいきます。

わたしの出身地・福岡にはかつて、1953年創業の『ロイヤル中洲本店』というとてもカッコいいレストランがありました。女優のマリリン・モンローとメジャーリーガーのジョー・ディマジオ夫妻が新婚旅行の途中でこの店を訪れ、オニオングラタンスープを気に入ったという逸話も残っており、『WIRED CAFE』1号店をつくるときも、そのアメリカナイズされた佇まいには大きな影響を受けました。

実家の近くには『ロイヤル・ステーキハウス』という系列店もあり、私も小さい頃によく連れて行ってもらいました。こちらは少し高級業態で、黒いタキシードを着こなしたオ

福岡にあった『ロイヤル中洲本店』

ールバックの男性たちが「いらっしゃいませ」とびしっと挨拶する様子を、子ども心に「うわあ、カッコよか！」と思ったものです。

この『ロイヤル』が後に大衆が気軽に利用できるファミリーレストラン『ロイヤルホスト』をつくり、現在は全国に展開しています。当時の味を受け継ぐオニオングラタンスープは、現在も定番メニューです。

外食チェーンがもたらしたものは？

この時代において「チェーンストアオペレーション」は、アメリカの外食産業の発展に紐付いた最先端のビジネス手法でした。

『ロイヤル』にもともと米軍・板付空港（現・福岡空港）でレストランを運営していた創業者がいたように、この分野には海外事情に詳しい人たちが数多く参入、時代を牽引する存在だったのです。

チェーン店が広がりを見せた背景には、1970年に第1次ベビーブーム世代（団塊の世代）が成人のピークを迎え、働き始めたという事情があります。多くの若者が地方を離れて都市に移動し、郊外から通勤してニューファミリーを形成する。そういった動きに合わせて、日本の食文化をさらに豊かに、より広く郊外まで届けようと、ファミリーレストランやファストフード店ができていったのです。

現在の外食チェーン店は、気軽に食事ができる場所ではあっても、カッコいい店ではなくなってしまったかもしれません。しかしそこには、日本のすみずみまで食のクオリティを高め、豊かにしたという現代社会への多大なる貢献がある。来るべき未来を予測し、時代が求めるニーズに対応して変化することで、日本の食は発展を遂げることができたのです。そのことを忘れてはならない、とわたしは思います。

今こそ経済の意味を変えるとき

未来へつながる繁栄価値をつくることが経済ということだと定義すると、本来の企業価値とは社会全体の幸福度、満足度の増加貢献度であり、これをより大きくさせる継続的な営みのことを本来は経済というはずです。

大学で学ぶ経済学は基本的にこの300年間変わることなく、教科書に「全てのことは需要曲線と供給曲線の交点で、最適な解が得られる」とありますが、この理論にはそれによって失われる自然、それによって搾取される行為、それによって未来に回すツケなどは換算されていないのです。言い換えれば、**過去300年にわたって「環境や人権というものは経済コストがかかるから」という言い訳が効く経済・社会にしてしまったツケが、今、これから先の気候変動や貧困問題として顕在化していると言えます。**

未来に向かって生きるわたしたちは、今こそ経済という言葉の本質的な意味を歴史的に書き換えなければなりません。経済を「おいしい」から考えたとき、ビジネスはもっと多様な価値観をシェアしながら新しい価値創造と共創に向かっていけるのではないかと思うのです。

人類が農耕定住するようになったのが1万年前。しかし産業革命が起こって以降はまだ250年しか経っていません。現代を生きるわたしたちが常識だと思っている経済の仕組みは、農耕定住生活を始めてからわずか2・5％の期間しかありません。

歴史を見ればわかります。わずか2・5％の常識はいくらでも変わり得るのです。人間は生産活動があまりできなかった頃から、エネルギー革命や産業革命で生産レベルが上がって、「モノがどんどん増えていくのは素晴らしい」と思っていましたが、250年を経て、一定以上の物質的な豊かさは、精神的な豊かさを減らしてしまうことがわかってきたのが現代でもあるのです。

歴史が示してきたように、社会構造が大きく変わるとき、食もその姿を変えてきました。わたしたちは今後、「世界一おいしい国・日本」を生かすことができるのでしょうか。

次章以降からは、どうすれば「おいしい食の改革」ができるのか。先駆けて世界で始まっているイノベーションについて見ていきたいと思います。

第3章

世界は「おいしい」をどう生かしているのか

地形や文化的な特色にも助けられ、
独自の発展を遂げてきた日本の
「おいしい」をどう未来に生かすのか。
「食」を戦略的に経済対策として活用する、
他国の事例から学んでみましょう。

社会課題を解決する手段としての食

人口の大幅な増減やそれに伴う食糧問題、地球環境の悪化などの問題に対し、「食」が社会課題を解決する手段のひとつとして期待されていることに何度か触れてきました。食のどういった点が注目されているのか、第3章では世界がとった代表的な戦略を8つご紹介したいと思います。

戦略事例1．人類の生き残り戦略「フードテック」

いま、現在進行形で起こっている世界的な食にまつわる変革と言えば、間違いなく「フードテック」です。フードテックとは一般に、食の分野にテクノロジーを取り入れて新しいモノやサービスを生み出すことの総称。スマートフォンとつながる調理家電のような身近なものから、食品のサプライチェーンと連動して廃棄ロスを防ぐ管理技術、農作物の育成を助ける温度・湿度管理や気象データの活用、人感センサーと電子マネーを導入した無人コンビニ、アプリを利用したフードデリバリーサービス……数えればきりがないほど幅広い分野が含まれます。

そのため食だけでなく、家電や流通、住宅など関連する業界の裾野も広く、今後も多くの産業から参入が見込まれています。その市場規模は2025年までに世界で700兆円に達するとも言われており、まさに劇的な急成長を見せている分野です。

フードテックが注目される理由はシンプルで、人類の生存や地球環境の保全といった課題を解決する手段になり得るからです。

歴史の流れを思い起こすと、人類は安定的に食料を確保する技として、近代農業を生み出しました。それが現在では非常に大規模化し、農薬散布も当然の状態になっています。人口増加とともに、農地をつくるために各地の森林が伐採され、とうとう地球の温暖化まで叫ばれるようになってしまいました。これがわたしたちの迎えている「今」です。

近い将来、世界の人口は爆発的に増えていきます。その時、どうやって爆発する人口分の食料を確保し、そのうえでどのように環境を保全するのでしょうか。

その解決策のひとつとして、テクノロジーを使って食糧不足や環境への悪影響を軽減していこう、というのがフードテックの底流にある目的です。「たとえばどんなこと?」というイメージをつかむため、フードテックを活用した課題解決の事例をご紹介しましょう。

Case 1 畜産による環境負荷を減らす「人工肉」

畜産は、土地・水・飼料用穀物といった資源を大量に消費する農業のひとつで、環境にかかる負荷が長年問題視されています。また、肉中心の食生活による肥満と、肥満が引き起こす健康問題も大きな課題です。

その解決手段として注目されているのが「人工肉」。これには植物由来の「代替肉」と、動物の細胞を培養してつくる「培養肉」という、大きく分けて2つの種類があります。

代替肉

アメリカ・カリフォルニアに本部を置く『インポッシブル・フーズ』は、代替肉で注目を集めるユニコーン企業です。大豆の根粒に含まれる「ヘム」というたんぱく質を原料に、本物の肉に近い食感と風味をつけて提供。2019年には全米第2位のハンバーガーチェ

見た目も食感も肉に似せた『インポッシブル・フーズ』の代替肉。

ーン『バーガーキング』と提携し、代替肉を使った『インポッシブル・ワッパー』を全米で販売。肥満の敵とされたファストフード業界に革新をもたらしました。

2021年からは、アメリカ政府当局の承認を受けて一部の学校給食のメニューにも採用されています。

培養肉

他方「培養肉」は、畜産を行うことなく家畜の細胞から本物の肉を生成しようとする試みです。医学の分野では再生医療として、傷ついた臓器や組織をよみがえらせるのに使われるバイオテックのひとつで、ノーベル生理学・医学賞を受賞した山中伸弥教授の「iPS細胞」が同様の技術として知られています。

培養肉は世界的にも発展途上で、まだどこも商品化には至っていません。日本にも研究に着手している組織がいくつかあり、そのひとつが東京大学の生産技術研究所と日清食品ホールディングスによる産学協同研究です。

彼らが目指しているのはステーキ肉の培養。食べ応えを生み出す筋繊維の再生が難しいそうですが、それでも1センチ角のサイコロ大まで培養に成功しています。

Case 2 食品ロスに立ち向かう「アップサイクルビール」

まだ食べられるのに捨てられてしまう食品廃棄物を減らす、という観点から誕生したフードテックもあります。

シンガポールの『CRUST（クラスト）』は、「2030年までに世界の食品ロスを1％削減する」というミッションを掲げるフードテック企業です。この会社が行っているのは、シンガポールのカフェやベーカリーで売れ残ったパンや、生産過程で発生するパンの端材などを使ってビールをつくること。そのほか余剰となったみかんやパイナップルを使ったノンアルコール飲料も製造しています。

CRUST JAPAN、リバネス、カフェ・カンパニーなどが共同開発した食品ロスのパンからつくる「パンからつくったペールエール」

２０１９年のサービスリリースから２０２１年９月まで、救った食品廃棄と食品ロスの量は１２００kg。２０４５kgの二酸化炭素削減を実現しました。このムーブメントをアジア全体にも広げようと２０２１年『CRUST JAPAN株式会社』を設立。日本国内の食品ロスパンを材料に、サスティナブルなピルスナーの販売を開始しました。もちろん、この動きの背景には日本がアジア１位の食品ロス大国である（第１章）という事実があるのですから、決して手放しで喜べることではありません。

余談ですが、この技術を日本に紹介し

ているのがユーグレナの立ち上げメンバーであるリバネス社の丸幸弘さんです。先般カフェ・カンパニーと事業提携をしたリバネス社は、日本の大学発テックベンチャーや東南アジアを中心とした海外のテック企業を発掘した先駆的企業で、数多くのフードテックベンチャーの誕生に貢献しています。日本でもこれからその流れが加速するのは確実です。

破壊的イノベーションは瞬間的に起こる

ほかにも環境・医療・ITなど、あらゆる産業と食が密接に絡みあい、異なる価値観の知的交流が行われた結果、これまでにない革新的な食のイノベーションが起きている。それがフードテックです。

世界のフードテックの現状を紹介する書籍『フードテック革命―世界700兆円の新産業「食」の進化と再定義』（田中宏隆、岡田亜希子、瀬川明秀著／日経BP）は、アメリカを筆頭に世界各国が早くからフードテックに着目し、食にまつわる様相が劇的に変化する様子を「革命」として描いています。

この本では同時に、「ガラケー」と呼ばれる携帯電話で世界にイノベーションをもたらした日本が、ｉＰｈｏｎｅに代表されるスマートフォンの登場によってあっという間に勢いを失ったことに触れ、フードテックの分野でも同様のことが起こっている、と警鐘を鳴らしています。

「技術」という面で特に目新しくなかったスマホは、スワイプという操作や、アプリのダウンロードといったコンセプトでまったく新しい体験を生み出しました。今や単なる電話を超えて、家電の操作やカーナビ機能なども含めた次世代のインフラ的存在として進化を続けています。

このエピソードを読んでいたわたしの頭の中には、とあるモノクロ写真が浮かんでいました。１９００年のニューヨーク5番街で撮影されたその写真には、通りを埋めつくす馬車の中に自動車がたった1台だけ走っている様子が映っています。しかし１９１３年の5番街を映した別の写真では、無数の車の中に馬車が1台だけ。

これらの写真が伝えるのは「交通革命＝モータリゼーション」です。１９０８年、アメリカの『フォード』社がガソリン自動車「モデルＴ」を発表、１９１３年に量産化が開始されるやいなや、あっという間に街の風景が塗り替えられました。

破壊的なイノベーションとはじわじわと起こるものではなく、水面下で進行し、ある一

1900年と1913年のニューヨーク5番街の街並み。

瞬で急激に広がるものなのです。

フードテックから「イートテック」へ

「日本の伝統ある食文化にテック？　けしからん！」
「調理家電がなんでもやってくれると、自分で料理ができない人が増える」
「食材を培養するってなんだか怖い」

こういった論調はいまだにあちこちで健在ですが、今起こっている時代のパラダイムシフトと見ているポイントがまったくかみ合わないものです。まずはフードテックが単なる食のＩＴ化ではなく、持続可能な社会に向かう手段であり、人類の生存戦略である、と理解を刷新し「未来のために何を目指し、どういう行動を起こすか」という選択肢のひとつだと捉えることが必要です。

この、食を媒介とした全方向的な広がりが、日本では調理家電の進化のような小さいイメージに陥りがちな理由について、わたしはフードテックという名前が「フード＝食品・食物のテック」だと連想させることにも原因があるのかも？　と思っています。

サスティナブルな世界を実現するために、わたしたちはどうテクノロジーを生かし、どう食べるか。すなわちこれはフードに留まらず「食べる」にまつわる全てを内包する「イート」テック革命だ。そう考えると、よりしっくり感じられるのではないでしょうか。

戦略事例2．アメリカの先進的取り組み

イートテックを含め、「おいしい革命」を起こすために私が注目しているのが、アメリカの食戦略です。

世界最高峰の大学のひとつ、ハーバード大学がデザイン学部内に食の研究チームを発足させ、三つ星シェフのダン・バーバーさんを客員教授に任命したことには第1章で触れました。ハーバードと言えばＭＢＡ、と言われるほど経営学部が有名ですが、デザイン学部はそれと変わらぬ権威を誇ります。

その中で、２０５０年に世界の人口が１００億人になるという背景を踏まえ、人がどうサスティナブルに暮らすか、という新しい都市計画の一環として、循環型農業を行う人工島のような次の時代の農業や食の在り方についての研究が始まっています。循環型社会に

向けた都市研究という大きいスケールで「食」を扱ったところが、今までにない彼・彼女らの戦略性のポイントです。

この動きに触発されるかのように、世界一の料理大学カリナリー・インスティテュート・オブ・アメリカ（CIA）と、科学・工学の分野で世界を牽引するマサチューセッツ工科大学（MIT）が提携を発表。正確には、MITにある世界屈指のデジタル技術研究機関『MITメディアラボ』とCIAの連携という形で2014年からスタートしたもので、テクノロジーやデザイン、消費者行動などの視点も取り入れながら食を考えよう、という動きです。テクノロジーに最も強い大学と食の専門校が手を組むとなれば、当然つながってくるのが「フードテック」の研究です。食糧問題の解決や環境保全をを念頭に、新たなテクノロジーの開発に乗り出しています。

また、2018年に発売され、10万部を突破した『世界一シンプルで科学的に証明された究極の食事』（東洋経済新報社）の著者、津川友介さんはカリフォルニア大学ロサンゼルス校（UCLA）医学部の准教授です。彼は健康長寿をどう実現するか、という予防医療のアプローチから、科学的エビデンスに基づいた身体にいい食事を研究しています。

ここで、CIAが主催する国際料理イベント『ワールズ オブ フレーバー』(WOF)のエピソードを思い出してみてください。

2006年、『スペイン』のテーマを通じて分子ガストロノミーの最前線を学んだCIAは、レシピを科学的に数式化するノウハウを徹底分析しました。そして2010年に『日本の味と文化』を様々な角度から研究しました。

その後の2014年に、CIAは『WOF』とは別の食のカンファレンス『RETHINK FOOD』を開催し、「フードテック」をテーマにしたのです。

当時はITと食がどう関わるのか、未知の部分が多い分野でした。しかし同年2014年にMITと提携し、CIAはさらにテックへと踏み込んだ。この経緯を見ていたわたしの頭にはこんな考えがよぎりました。

まず、分子ガストロノミーの特徴であるレシピの数式化とテックの相性がいいことはかんたんに想像できます。そして世界が日本の食を学んだ理由には、美味であるうえヘルシーで、なおかつ環境負荷が低いという特徴があげられ、これは当時すでに始まっていた持続可能な社会を目指す動きとリンクしています。

もし、これまで再現するのが難しかった日本食の繊細な味わいや調味の技術、また医食同源的な食と健康の関係性が、テックを通じて分析され、誰でも利用することが可能になるとしたらどうでしょうか。

ＣＩＡが目指しているのは「アメリカの料理文化の中心」となる学校。つまり、自国の料理文化の発展です。これまでのアメリカには、あまり「おいしい国」という印象がありませんでしたが、彼らが日本、そしてイタリア、フランス、スペインなど美食で知られる各国の持つそれぞれの強みを「アメリカ食」として取り入れ、アメリカ発のプラットフォームに変えてしまうことを目指していると考えられます。

これは、米国に限らず欧州各国や中国やシンガポールなどのアジアにおいても「おいしい国」へのリーダーシップをめぐる戦いがすでに始まっていることを意味しています。

戦略事例３．美食の街として成功したバスク

「食」を軸とした戦略で、街の活性化に成功した国もあります。

スペイン北部にあるバスク自治州は、フランスとスペインにまたがる地域に長い間暮ら

してきたバスク人が多く住む地域です。その中心都市は、中世時代に貿易で栄えたビルバオ。産業革命の時代は製鉄で有名になりましたが、製鉄業の衰退とともに芸術に力を入れ、モダンアートの殿堂であるグッゲンハイム美術館を有することでも知られています。

そのビルバオから海沿いに東へ向かったところに、サン・セバスチャンという人口18万人の小さな街があります。かつては高級避暑地として知られていましたが、現在は世界中から注目される「美食の街」になっているのです。

その基軸となったのが、150年以上の歴史を誇る『美食倶楽部』の存在です。これは地元の男性たちが集まって料理をつくる民間組織で、キッチン付きの会員制食堂のようなもの。市内には100以上もの『美食倶楽部』があり、仕事も肩書きも関係なく男たち全員がそれぞれに料理をし、レシピをシェアし、お酒を飲みながら語り合います。会社員や銀行の頭取、ミシュランシェフとメンバーの顔ぶれは様々で、飲み食いにかかった費用は参加者全員で割り勘するのだとか。

こういった倶楽部が存在することで、当然サン・セバスチャンに暮らす人の料理スキルが高まり、舌も肥えます。レシピやテクニックを気軽にシェアする仕組みは一種のオープンソースとなって、家庭はもちろん飲食店のレベルも向上させました。料理文化は盛り上がり続け、おいしいピンチョス（つまみ）がリーズナブルな価格で食べられるバルが通りにひしめき合い、ハイエンドなレストランも登場するようになったのです。

ちなみに、日本が『ミシュランガイド』の星を最も多く保有する国である、とはじめにお伝えしましたが、人口ひとりあたりの星付きレストラン数が最も多い街がサン・セバスチャンです。

市はこういった強みに目を付け「美食の街」という魅力を全面的にアピールしました。おいしい店が無数にあることで、旅行客は必然的に食べ歩きをすることになり、滞在日数も増加します。使われる食材のほとんどが地元産であるため、ホテルと飲食店だけでなく第１次産業までも活性化させることに成功しました。

この美食の街サン・セバスチャンに、ヨーロッパ初の４年制私立料理大学として誕生したのが『バスク・カリナリー・センター』（ＢＣＣ）です。スペイン政府の全面的な支援のもとに設立され、世界９カ国のトップシェフをアドバイザーとして招へい。そのひとりが料理を科学的に解析した、分子ガストロノミーのフェラン・アドリアさんです。

ＢＣＣは２０１９年、世界初の「調理科学」博士課程を立ち上げたほか、ラボ機能を設けてベンチャー企業との共同研究を推進するなど、食業界のイノベーションを促進する最先端の学校として国際的な存在感を高めています。

この動きはもしかすると、アメリカに先を越されてばかりはいられない、というヨーロッパの意思表明なのかもしれません。

戦略事例4．アジアの「戦略基地」

欧米の動きに追随するように、アジアや環太平洋のエリアにも食戦略の拠点が誕生しています。

2006年、シンガポール工科大学（SIT）と共同する形で、アメリカのCIAが初めての海外分校をシンガポールにつくりました。

2007年のWOFに行ったとき、やけにシンガポール政府の関係者が来ていることは気になっていたのですが、一報を聞いて「そういうことか」と合点がいきました。というのも、近年アジアでの存在感を増しているシンガポールですが、国民は約570万人しかいません。国土も小さく、競争力のある自国文化も少なかったことから、金融ビジネスと貿易に力を入れて成功。その後は国外の富裕層を取り込む戦略として、バスク自治州同様、アートと食に力を入れてきたのです。

もともと美食とは縁遠い、屋台文化がさかんな国でしたが、CIAと提携したことでフードテックをはじめとするアメリカの最先端の情報がどんどん入ってきています。これからさらに自国の食文化を進化させることを目指した戦略的な開校であり、今やシンガポールはアジアの「フードテックハブ」に成長しつつあります。

戦略事例5．ハワイ発の料理大学

環太平洋エリアでは、ハワイ大学が太平洋沿岸諸国の料理をキーワードに『カリナリー・インスティテュート・オブ・パシフィック』（CIP）という施設を立ち上げ、学生やプロの料理人を対象に高度な調理専門コースの提供を始めました。

海山を有するハワイは、食材が豊かな場所です。またサーフスポットとして知られ、世界中からサーファーが集まる土地柄と、自然派のライフスタイルを好む彼らの影響か、以前からオーガニックな農業がさかんでした。そのうち健康志向のシェフも集まり始め、料理の質がどんどん向上している、そんな流れを受けての開校です。

今後はさらに周辺地域の食を取り入れて、増えつつある富裕層の移住を促進する狙いがあると考えられ、実際にリモートワークが普及したコロナ禍以降は、アメリカ本土からの移住先として大変人気が高まっています。

ここで少し残念に思うのは、CIPが打ち立てた「環太平洋の食の拠点」という立ち位置は、同じ環太平洋エリアに属する日本にも当てはまることなのに、まんまと先に言われてしまったということです。そしてアメリカは、先んじて東アジアと環太平洋エリアにプラットフォームをつくることに成功した、というわけです。

こういった、いかに世界の拠点を押さえて主導権を握るか、といったスタンスとは一線を画す食戦略をとっているのが北欧諸国です。

戦略事例6．おいしいを更新した「北欧10カ条」

もともと北欧は確たる美食文化がない地域でした。しかし2004年、2章に登場したデンマークのレストラン『ノーマ』の創業者クラウス・マイヤーさんとシェフのレネ・レゼピさんが共同で「現代北欧料理のマニフェスト」を発表し、北欧料理という存在とその魅力を世界的に知らしめたのです。その内容はこんなものでした。

1. 北欧という地域を思い起こさせる純粋さ、新鮮さ、シンプルさ、倫理観を表現する。
2. 食に、季節の移り変わりを反映させる。
3. 北欧の素晴らしい気候、地形、水が生み出した個性ある食材をベースにする。
4. おいしさと、健康で幸せに生きるための現代の知識とを結びつける。
5. 北欧の食材と多様な生産者に光を当て、その背景にある文化的知識を広める。
6. 動物を無用に苦しめず、海、農地、大地における健全な生産を推進する。
7. 伝統的な北欧食材の新しい利用価値を発展させる。
8. 外国の影響を良い形で取り入れ、北欧の料理方法と食文化に刺激を与える。
9. 自給自足されてきたローカル食材を、高品質な地方産品に結び付ける。
10. 消費者の代表、料理人、農業、漁業、食品工業、小売り、卸売り、研究者、教師、政治家、このプロジェクトの専門家が力を合わせ、北欧諸国全体に利益とメリットを生み出す。

この宣言は「高級料理＝フランス料理ではなく、北欧の食文化もガストロノミーである」という意思表明でもありますが、それだけに留まらない優れた点が2つあります。

ひとつは、**高級なものを大いに含んだ「美食」という概念を、単なる味のおいしさではなく、環境に対する配慮や郷土文化へのリスペクトまで包括した「食に対する考え方」として捉え直した。つまり「おいしい」の意味を「未来型に更新した」、ということ。もうひとつはデンマーク発のムーブメントであるにもかかわらず、「現代デンマーク料理の」マニフェストにせず、「北欧の」と打ち立てたことです。**

日本人にはあまりピンと来ないかもしれませんが、北欧諸国は国旗こそ似ていても、かつて占領し合っていた関係で、決して一枚岩ではありません。もし「現代デンマーク料理の」マニフェストとしていたら、スウェーデンやノルウェーも自分たちのマニフェストを打ち立てて、競い合いになった可能性があります。つまりこの宣言は、北欧社会に食を通じた連帯を呼びかけるものでもあったのです。各国がそれに呼応し、「北欧料理」全体の地位が上がったことは言うまでもありません。

このデンマークが見せたシェアリングエコノミー的な精神もまた、国際的な評価につながりました。長らく北欧のリーダー的位置づけはスウェーデンでしたが、近年はデンマークのステータスが急上昇しています。

戦略事例7．過疎化を食で解決したイタリア

過疎化が見込まれる地域社会をどのように維持運営していくか、という問題は少子高齢化を迎えた国が共通して抱える悩みです。その解決のヒントとなる「人口減少×地域経済×食」をキーワードにした取り組みが現代のイタリアにあります。

イタリアは、総人口における高齢者の割合が日本に次いで高い、少子高齢化の先進国です。地方の過疎化が進み、廃墟となった集落や増加する空き家が問題になっているのも日本と変わりません。

そういった地域を復興する手段として、成功を収めているのが「分散したホテル」という意味の名を持つ『アルベルゴ・ディフーゾ』です。過疎化した集落に点在する空き家をリノベーションし、それぞれの建物にレセプションや客室、食堂といった機能を分散させて、集落全体をひとつのホテルとして活用する、というのがその仕組み。

宿泊する人たちはチェックイン後に空き家の鍵を受け取り、あとは自由に街の中を散策

します。彼らが求めているのは名所旧跡でも星付きレストランの美食でもなく、古い街並みを見ながらゆったりと過ごし、オリーブ農場での収穫や牧場でのチーズ生産を楽しみ、地産地消の食材を使った地元の料理を食べること。こうした暮らすような旅を通じて自ずと地域全体におカネが落ち、活性化を後押しするのです。

この「持続可能であることを重んじ、街本来の景観や文化を維持しながら、地域住民の協力のもとで旅人をもてなす」というコンセプトに共感し、イタリア国内だけでなく世界中から訪問者がやってきます。古くからある生活の営みと食文化だけがある場所を求めて、わざわざ足を運ぶ。つまり「何もなくてへんぴだけど、素朴で美しい暮らしの様子」そのものが人の心を捉えているのです。

2006年には『アルベルゴ・ディフーゾ協会』が発足。共通の理念のもとイタリアで100以上、欧州地域で約150もの施設が認定を受け、食と暮らしを通じた各々の地域性を見直して、地域振興に取り組むようになりました。2018年には、江戸時代から続く宿場町である岡山県の矢掛町に、日本初の『アルベルゴ・ディフーゾ』も誕生しています。

戦略事例8.「コミュニティ」戦略

『アルベルゴ・ディフーゾ』の成功は、「何もない土地」とされた場所でも、切り口を変えれば人々が集まる新しいコミュニティとして再生できる可能性を示しています。

旅行用語で「デスティネーション」という言葉があります。日本では「旅の目的地」という意味で理解されていますが、英語圏では欧米からアフリカに旅するなど、秘境へのロマンを感じさせる旅、という意味合いでもよく使われます。注目すべきは近年、『アルベルゴ・ディフーゾ』に代表される「何もない土地に住まうように旅する」ことにも「デスティネーション」と扱われるように意味が更新されてきたこと。それは、海を越えて違う国のコミュニティに参加し、共に暮らしを育むことが、ロマンを感じる憧れの対象となっていることを予感させます。

実際、「国」という概念を超えてつながる、新しい共生コミュニティが世界各地に誕生しています。

Case 1

オランダの『リージェン・ビレッジ』

オランダの首都アムステルダムから約30キロの場所にある『リージェン・ビレッジ』は、新しい農業技術をベースにした地産地消コミュニティです。約1万5000平方メートルの土地には、複数の建物で構成された集落とそれにつながる農業温室があり、住民は野菜や果物を栽培しながら、家庭から排出される生ゴミを堆肥として使用します。また、敷地の中には少ない面積でたくさん収穫できる仕組みを持った、都市型農業を実践する大規模施設も。

ビレッジ内で使われるエネルギーは太陽光・地熱・風力などのソリューションを組み合わせ、完全な自給自足で賄われています。人数こそ限りがあるものの、ここで暮らす住民を世界中から募集しており、登録さえすれば村民になれるチャンスが誰にでもある、というのも特徴です。

このオランダを第1号として、今後はヨーロッパ各地で『リージェン・ビレッジ』の建設計画が進行中。将来的には世界規模で展開し、特に食糧問題を抱える発展途上国でのニーズを視野に入れて活動をしています。

オランダの地産地消コミュニティ『リージェンビレッジ』。

このプロジェクトが優れているのは、循環型社会の実現に寄与することだけではありません。様々な側面から、オランダという国の価値を高める役割を果たしているからです。

もともとオランダはオーガニックを中心とした国外向け高級農産物で栄える農業国です。**世界に先駆けた循環型コミュニティを発表したことは、SDGsの観点からも「サスティナブル先進国オランダ」という国のブランド価値を強化することでしょう。**

またビレッジに入居するには高額な費用がかかります。お金持ちが「地産地消を買える」村、と表現すると言葉が悪いですが、世界各国にいる環境意識の高いセレブリティをオランダに集める呼び水となることは間違いありません。加えて『リージェン・ビレッジ』という仕組みが、新しい暮らしと食の姿を体現するグローバルプラットフォームになれば、多くの企業が参加を希望し、国際的なネットワークができていくでしょう。このコミュニティそのものが、国のアセットとなるのです。

Case 2 エストニアの『イーレジデンシー』

北欧のエストニアにも、世界から人を集める注目すべきコミュニティがあります。食というキーワードからは少し脱線しますが、未来のコミュニティの姿を想像するうえで参考になる事例なので、ぜひご紹介させてください。

エストニアは人口約130万人の小さな国ですが、世界で初めて『イーレジデンシー』という電子国民プログラムを導入しました。これは日本のマイナンバーカードをさらに機能強化したようなもので、『イーレジデンシーカード』の中に免許証から保険まで様々なアプリケーションを300程度集約し、システムを介して電子署名や法人登記、銀行口座の開設など様々な手続きをスムーズに行えるようにしました。この実装により、政府と民間企業が効率よくデータを共有できるようになり、利用者は手続きにかかる手間を軽減。

世界初の電子国民プログラム、エストニアの『イーレジデンシーカード』。

いわゆる「電子国家エコシステム」を構築したのです。

　この『イーレジデンシー』の凄いところは、国内向けのプラットフォームとしてだけ使用するのではなく、外国人にも登録を開放した点です。

　仮に企業が登録を行えば、嘘偽りのないデータを政府や企業と共有することになります。つまりグローバル企業にとって、運営の透明性を担保する手段としての価値を生んだのです。透明性という文脈で、法務や経理といった業務をエストニアの企業に代行させる、といった動きも現れました。グローバル企業が『イーレジデンシー』に集まるほど、登録者は他国や他業界の動きをリサーチできるメリットもあり、ベンチャー企業を中心とした先進的な企業の登録が増加しています。

古くから周辺国に攻め込まれてきた歴史があるエストニアにとって「情報先進国家」として国際的な影響力を高めることが、国防面でもプラスに働くことは言うまでもありません。

日本発「おいしい」経済圏をつくる

さてここで、アメリカのCIAをはじめとする他国が、なぜ日本の食を学んだのか思い出してみてください。おいしくてサスティナブル、そして健康的だからです。カリフォルニア大学ロサンゼルス校の准教授である医師の津川友介さんの調査では、最も健康に良い食事は地中海料理と日本食であることが科学的に証明されています。欧米人と比較して日本人には肥満が少なく、より長寿であることは知られています。日本が世界一の長寿国である理由は、先進的な医療のおかげでもありますが、穀物や魚の摂取量が多く脂肪の摂取量が少ないこと、豆腐や味噌といった大豆を食べる文化など、伝統的な食文化にも起因しており、これは日本の強みです。

わたしたちは今回のコロナ禍で、健康がいかに大切かを再認識したのではないでしょうか。心と身体が健やかである暮らしは、純粋に楽しいのです。自然を感じるロケーションのなか、誰かと一緒にごはんを食べて、それがおいしく身体にいいのだとしたら、それはもはやエンターテインメント同様の楽しさと満足感を提供できるものになるでしょう。

『リージェン・ビレッジ』は世界初の地産地消コミュニティとして富裕層の獲得に成功し、『イーレジデンシー』は透明性のあるコミュニティで、先進的な企業に支持されました。

では日本は？　と考えたとき、「健康でおいしい」という強みを真剣に訴求することに大きな可能性があります。

というのも、美食家と呼ばれる人たちは高所得者層が多く健康へのニーズが高いうえ、人は一度おいしいものを知ってしまうと「食べたい」という欲求が減ることはない生き物です。「健康でおいしい」体験ができ、さらにエビデンスとしての効果が明らかであれば、やってくる人たちは必ずいるでしょう。

また、デスティネーションを求める人たちにとって、日本の治安の良さや清潔さ、口に入るものへの安心・安全は明らかな優位性です。観光に限らず、「どこのコミュニティで生きようか」と考えたとき、選択肢に入りやすい要素を持っている、と言えるでしょう。

そういった美食家や、健康に対して意識の高い人たちをオランダやエストニアのように生態系に取り込んでいけば、これまでにない「おいしい」経済圏が誕生するのです。

第4章

おいしい未来戦略——食は課題解決型成長戦略だ

これから日本が世界に先立って
様々な課題を解決し、
豊かな未来に貢献するために、
食のチカラをどう生かせばいいのでしょうか。
具体的な戦略を紐解いていきましょう。

技術と伝統の融合で日本の食が世界を変える

過疎地を資産に変えよう

爆発する世界人口とは対照的に、少子高齢化による未曾有の人口減少時代を迎える。そんな未来の日本を、もともとある資源を活用して最もポジティブなカタチで輝かせる。その戦略とは、「日本の食」という優れた資産をベースに、これまで培ってきた伝統と技術を新しい発想で組み合わせて「おいしい経済圏」をつくることだ、とわたしは考えます。

本章では食を軸とした、日本の「おいしい未来戦略」について、順を追って説明します。

ヒントにしたいのが第3章で紹介した『アルベルゴ・ディフーゾ』の成功です。

「何もない土地」と評され、過疎化の対象になってきた素朴な暮らしや自然のある風景、地域に根ざした食が「資産」に変わった。これは四季折々の気候や独自の精神性、多様な食文化を持つ日本にもそのまま応用できます。

繰り返しになりますが、わたしたちの生きる現代の日本社会は、大量生産・大量消費の時代につくられた人口が増えることが前提のシステムで動いています。人口が減るのにその仕組みを続けようとすれば、無理が生じるのは当然です。それなら発想を転換して、「人が少なくても幸せな暮らしはどういう姿か?」を考えることが必要になります。

想像してみてください。豊かな自然を享受し、今より広い家に住み、教育水準は維持されて、子どもやお年寄りにはちゃんと目が行き届く。そういった社会であるなら、たとえ人口が少なくても幸せなのではないでしょうか。

実際に日本には既に、そういった「何もない土地」の価値を見出し、地域の「資産」へと変えてきた先駆者たちがいます。

Case 1
福岡県『ぶどうの樹』

福岡県・岡垣町は人口3万人ほどの海に面した町です。北九州市や福岡市が近いことか

グランピング福岡～海風と波の音～『ぶどうの樹 福津店』。

ら近年はベッドタウン化し、地元の産業は元気をなくし気味でした。

岡垣町に本社を置き、県内を中心に多数のレストランや宿泊施設を手掛ける『ぶどうの樹』の社長・小役丸秀一さんもこの町の出身です。地域全体に活気をもたらすのが観光の役割、というのが父の代から受け継ぐ運営モットー。出荷規格に満たない規格外野菜を地元の農家から買い取り、自社のレストランで使用することを20年以上も前から行うなどして、持続可能な地域観光の在り方を目指してきました。

彼は2013年に、福岡県・福津市の海沿いに飲食店、ウエディング施設が一体となった『ぶどうの樹 福間海岸店』をオープンしました。観光地でもなく宿泊者の来ない地域で、「ここにあるものをここにしかないもの」へと変換しようという試みでした。

漁業を含め地元の方々の協力のもとに新しいニーズを掘り起こし、すぐそこの玄海灘で採れたばかりの海の幸を目の前で捌くカウンター鮨『鮨屋台』を設置。2017年には、お客さんが3世代で楽しめるようにとグランピング施設をオープンしました。部屋には海に面したデッキに滑り台を設置したり、夕食のBBQで食べるソーセージを自分たちで作ったりと「コト事業」も加えました。海と砂浜を贅沢に味わえる他にはないロケーションの魅力もあり、コロナ禍の最中にあっても連日多くの予約で賑わっているそうです。

Case 2 富山県「まれびとの家」

富山県の南西部にある南砺市・利賀村は、標高千メートル以上の山々に囲まれた人口500人程度の限界集落です。村面積の97%が森林と、移住者を呼び込むにはハードルが高いこの場所に誕生したのが『まれびとの家』です。

これは個人の家でもなく、宿泊施設でもありません。クラウドファンディングで募った30名以上が所有権を持ち、共同で利用しながら宿泊施設としても貸し出すことで「宿泊と

富山県にある共同宿泊施設『まれびとの家』。

定住の間」のような住まい方を叶えたのです。一部の富裕層しか手に入らない別荘よりも身近で、家を共有する人たちとは顔の見える関係性が築けます。運営には集落の住民たちも関わり、山の知識を生かした山菜採りツアーの実施や、ジビエ料理の提供などを通じて利用者との交流が生まれています。

その在り方もさることながら、建築そのものもクリエイティブです。大工さんなどが持つ木工加工の専門技術がない人でも木材加工ができるデジタルファブリケーション機器（ＳｈｏｐＢｏｔ）を導入、地元の豊かな木材を使って、材料調達から加工・建設までを半径10キロ圏内で完結させ、環境負荷をかけない家づくりを実現しました。この地域の伝統である合掌造りの家屋をモチーフにした自然に溶け込むモダンな建物は、２０２０年のグッドデザイン金賞を受賞しています。まさにクリエイティブの力で過疎地に人を呼び込んだ成功例と言えるでしょう。

Case 3 高知県「はたやま夢楽」

高知県安芸市・畑山地区も、日本の林業の衰退とともに急激な過疎高齢化を迎えた限界集落です。そんな畑山で、高知県名産の地鶏「土佐ジロー」の育成をしながら、地鶏料理を提供する宿を運営するのが『はたやま夢楽』です。

全国的に珍しい雄若鶏のトサカや白子、安芸市産の備長炭を使ったモモ肉の炭火焼など、土佐ジローを全面に打ち出した食事と、古き良き日本の原風景を思わせる環境が人気を集め、人口20人あまりの集落に国内外から多いときで年間数千人が訪れるようになりました。

リピーターが増えたことをきっかけに、「むらびと」と名付けたバーチャル村民も募集。1年先まで宿の予約を受付可能、畑山からのニュースレターなどの特典を用意したところ１００人近くの応募が集まり、全国から畑山地区を支えています（※現在は、新しい宿の建設に向けて休業中）。

モデルは「藩」のコミュニティ

これら「何もない土地」の可能性を感じさせる事例を参照しながら、未来の新しいコミュニティがどんな姿をしているのか考えてみましょう。

2021年現在、日本の総人口は約1億2500万人ですが、2050年までに約3000万人が減少、2100年には4800万人と現在の半分以下になるとされています。この傾向が続けば、2200年頃の日本の人口は2000万人規模になる、という予想もあります。

仮に、未来がそうなったとして、わたしがビジョンとして思い描く、人口2000万人時代の日本のモデルケースは、江戸時代の「藩」です。

だいたい人口3100万〜3500万人だったとされる江戸の社会では、都道府県の代わりに260前後の藩が地方を統治して、各地の気候風土に根ざした地産地消型の社会を築いていました。もし、そういった規模感のなかに、わたしたちが今享受している自動車や飛行機などの整備された交通網があり、発達した医療があり、AIほか先端テクノロジーによってグローバルなやり取りができる環境もある、と考えてみると、未来図の受け止め方がずいぶん変わってきます。

47都道府県と比べると藩の数は多く見えますが、この枠組みは同一文化圏の住民全てが「食える」からこそ成立してきました。しかも、江戸幕府に年貢を送りながらです。

現在の農業は同じ作物を大量に育て、物流によって各地に分配する大量生産・大量消費時代の仕組みで運営されていますが、人口減少と持続可能な社会という観点から、そういった方法を見直して地産地消で「食える」枠組みにコミュニティを再編成していく。これは「地産地消」経済圏の復活とも言えます。藩の規模はその目安となるのではないでしょうか。

さらに面白いデータがあります。2021年、日本経済新聞と東京大学が行った、コロナ禍を経た新しい職・住スタイルに適した「多様な働き方が可能な条件が揃う街」の調査によると、1位が石川県・小松市でした。評価項目は通勤時間や保育サービスの利用率、地域内の経済循環率など多岐にわたりますが、注目すべきは上位30都市のうち、人口10万人台の都市が約7割を占めたことです。

江戸時代の「藩」では、1藩につき10～15万人が暮らしていたと想定できます。この規

■ 図13：多様な働き方が可能な条件がそろう街TOP10

順位	都市	総人口	総合点
1	石川県小松市	10万8265人	67
2	鳥取市	18万6960人	66
3	富山県高岡市	17万0493人	65.5
4	愛媛県西条市	10万8961人	64.5
5	長野県飯田市	10万0702人	64
6	青森市	28万1232人	63.5
7	金沢市	45万2220人	62.5
	福井市	26万3152人	62.5
9	新潟県上越市	19万1197人	62
	滋賀県彦根市	11万2975人	62
	福島県会津若松市	11万8322人	62

（注）総合点は80点満点。平均通勤時間や地域内の経済循環率、公衆無線LANスポット数などの8指標を指数化して算出した
出典：日本経済新聞社・東京大学越塚研究室 共同研究「データから日本の地域を考える」より

模感は、新しい職・住スタイルに適した街のサイズと合致するのです。つまり、**10～15万規模のコミュニティであれば、地産地消を基本としたサスティナブルな暮らしが営める可能性**が高いと言えるでしょう。ちなみに、明治維新直後の県別人口によると1位は石川県、2位は新潟県。米どころとして豊かな食のある地域に人が居住できていたことがわかります。

また「2100年に日本の人口が半分以下になる」という表現は、「2100年に国民ひとりあたりの国土が倍増する」と言い換えることもできます。

わたしが大学卒業後、最初に務めたのはマ

ンションのディベロッパーでした。主に広告出稿を担当していたのですが、当時はバブル全盛期で土地の値段が高騰していたので、50平米前後の限られた空間を小さく切り分け、「4LDK!」と銘打って販売している物件も珍しくありませんでした。世界で「日本の家はウサギ小屋」と揶揄されたそんな時代と比べれば、2100年の社会はきっとのびのびと土地を使えることでしょう。前述した、イタリアの「アルベルゴ・ディフーゾ」の事例の通り、広い青空を見上げながら、豊かな自然に囲まれ、心軽やかに暮らす。そんな社会が世界の人々に憧れられ、リスペクトされるようになれば、おのずと資金と人々が集まり、豊かな経済圏が構築されるのです。

「藩」と『ノーマ』

藩のような地産地消コミュニティの実現を考えるうえで、第2・3章に登場したデンマークのレストラン『ノーマ』の姿勢も参考になります。

『ノーマ』のシェフたちは森に入り、その日に使う食材を調達するのが恒例です。この方法だとあらかじめメニューは決められませんが、食材の輸送に伴うフードマイレージがかからないため、環境負荷が限りなく低くなります。また、その日に使う分だけを採るので、森が荒れることもありません。空輸した高級食材に頼るのではなく、地元の幸を手間ひまかけて調理する方法で、彼らは世界一のレストランと呼ばれる評価を手にしました。

地産地消で食料が賄えるようになれば、『ノーマ』にならって自分たちが食べる分の食料を育て、採りに行くことを生活の基盤にすることができます。海産物がない、山菜がないなど地域で採れないものは、輸送コストが低い近隣のコミュニティから送ってもらえば、地球への負荷も軽いはずです。

そしてもし、各藩に『ノーマ』のようなレストランをつくり、地域の食材を活かした料理を出すようになれば「世界一おいしい国」日本の食文化が地域性を強め、ますます多様に、魅力的になっていくでしょう。この藩というコミュニティには、農業に従事する人だけでなく、食材を加工して製品化する人、宿を営む人、土地や文化の魅力をSNSや動画で発信する人など、それぞれの強みやクリエイティビティを生かして地域に貢献する人たちも居住するはずです。もちろん『アルベルゴ・ディフーゾ』がそうであるように、国内外から「おいしい」を求めてやってくる旅行者や、二拠点居住の場として過ごす都市生活者も集まるのではないでしょうか。

地方社会に多様な人、多様な考え方を受け入れる土壌ができることは、文化や産業の振興を助け、経済だけでなく精神的な豊かさをも活性化させていくでしょう。

人のいない日本でどう生きる？

こうして見方を変えてみると、人口減少時代の到来は、大量生産・大量消費の価値観から抜けだして、多様な個性・多様なライフスタイル・多様な地域性があるサスティナブルな社会を築く絶好のチャンスです。人のいない日本になるからこそ、今よりもっとクリエイティブに働き、画一的ではない生活を送れる可能性が広がるのです。

そういう時代を実現するチャンスにコミットし、「自然・文化・食」の価値を見つめ直して2050年に向けた種をまくのか、それとも過疎化と共に人知れず消えるに任せてしまうのか、今を生きるわたしたちはまさに、その岐路に立っているのです。

第1次産業（農業・漁業・林業）の担い手不足は深刻ですから、地方に移住してそういった仕事を始めるのも大切なことです。しかし全員がそうする必要はなく、今の自分にできる形で、まずは地方社会に生まれつつある新しい生態系の一員になってみる。そのことが地域社会を下支えする力となり、独自色のあるクリエイティブなコミュニティが各地に生まれていくはずです。その延長にある未来ならば、人口が減ってもなんだか面白そうに見えてきませんか？

実際、各地域の土地や食材などを活用し、都市部や他地域との新しいコミュニティを生み出す仕組みづくりがすでに始まっています。

棚田オーナー制

たとえば、福岡県・糸島市では高齢化による耕作放棄地の問題を解消するため、地元の『いとしまシェアハウス』が中心となって棚田のオーナー制度を設けています。水田の管理や草刈りはシェアハウスの住人や地域住民が共同して担当。オーナーは支援費を払うことで、街にいながら気軽に自分の田んぼが持てるうえ、里山文化の体験もでき、収穫期には棚田米も送られてきます（プランによって内容は異なる）。こういった制度を利用すれば、街での生活を続けながら自分のペースで地方コミュニティに加わることができます。

日本の海と子どもをつなぐ『おさかな小学校』

『(一社)日本サステナブルシーフード協会』が主宰する「おさかな小学校」は、月1回、毎週土曜日に行われるオンライン授業。魚を通じて日本を囲む海とのつながりを体感してもらえるよう、マグロや鯛など1種類の魚をテーマに取り上げ、海と魚についての知識や地球環境問題、栄養などについて学んでもらうプログラムです。日本をはじめ世界各地の魚にまつわる関係者とのつながりを生かし、インタラクティブな学びの場になることを目指しています。未来を担う子どもたちへの食育だけでなく、これをきっかけに教えてもらった漁師のもとに実際に足を運ぶ、など新たなつながりが生まれることも期待しています。

こういった事例だけでなく、都市と地方の二拠点居住や農業の共同オーナー制度など、都会にいながらにして地域の生態系の一員になる方法は今後もますます増えていくと考えられます。

里山の「循環（リズム）」をアップデートする

日本全国が「藩」をモデルにした地方分散型のシステムに移行していったとき、それぞれの地域の暮らしぶりはどうなるでしょうか。

キーワードとなるのは最近よく聞かれるようになった「循環」です。わたしはこれを「リズム」と呼んでいます。**地球環境が限界を迎え始めている今、人類と自然がどう共生するか、という文脈において、日本に古くからある「リズム」の文化はかけがえのない価値となります。**今新しい社会の形として注目されている「サーキュラーエコノミー」という言葉を聞いたことがある人もいるでしょう。「サーキュレーション」＝「循環」は日本に古くからあるリズムなのです。

たとえば伊勢神宮で行われる「式年遷宮」がそのひとつ。

20年に一度、社殿を新しく造り替え、ご神体を新たな新宮へ遷すという大祭で、直近では2013年に行われました。この「20年に一度」というサイクルの理由については諸説ありますが、建設には樹齢100年を超えるヒノキを多数使うことから、森林資源の保全と木材伐採のバランスを取るためではないか、とも言われています。

また、昔の人は今より寿命が短かったため、20年であれば宮大工が生涯に2回の社殿建設を経験でき、貴重な技術を後世に継承していけるから、という説もあります。

どちらからも、自然と人間の文化を共生させ、失われることのないよう循環をシステム化し、後世に残していく、という思想が垣間見えてきます。

日本のリズム・里山

以前読んだ本の中に、草木染めの大家で人間国宝でもある染織家・志村ふくみさんのエピソードがありました。桜を使って染め物を行うとき、花が咲く直前の木の皮を用いると、桜の美しいピンクが表現できる。しかし、咲いた花びらそのものを使うと、うす緑色に染まる。それは、自然の持つ周期を伝える暗示のようだ、というお話でした。

普段は意識しませんが、たしかにわたしたち日本人は、実際の季節がやってくるよりも少し前から、もうすぐ春が来るな、夏が来るな、と四季の変化に思いを馳せる心を持っています。飛鳥時代に古代中国から伝来した二十四節気七十二候におよぶ暦を、日本の四季に合うよう読み替えながら使い続け、今でも立春や秋分など自然の移ろいを意識する。これは古くからの生活のなかで自然に身についた「リズム」であり、そこで培われた感性のようなものだと思います。

そういった自然のリズムに則った生活の典型とも言えるのが「里山」です。手つかずの自然を残した奥山に対し、里山は人間が原生林を切り開いてつくった自然と都市の中間のような存在で、戦後の都市化が進む前までは、日本のあちこちにあたりまえのようにあったものです。山林から水を引いて棚田や畑を設けるほか、薪を採ったり、落ち葉を堆肥に利用したりするために、アカマツやクヌギ、ナラなどの木が優占する雑木林をつくる。多くの地方社会はそういった暮らしを営んでいました。

人の手が加わった結果、もともとの環境にはない植物の多様性が育まれ、昆虫や小動物が集まるようになり、人と自然が一体となった生態系が生まれていきました。**つまり里山とは、多様な動植物の生命を育みながら国土を保全し、その恵みをいただきながら人間が暮らす循環的エコシステムだったのです。**

四季の変化を先んじて感じようとする日本人のリズムは、自然のなかで季節を迎え、それらと調和しながら営んできた生活の名残だと言えるでしょう。この自然と共生しながら育まれた循環文化は、環境を大切にするこれからの時代にとてもフィットするものですが、都市への人口流出と過疎化の進行によって静かに姿を消しつつあります。

里山を日本の強みに昇華させる

土地の自然環境と密接な関係にある里山は、地域で続いてきた古くからの営みも明らかにしてくれます。

たとえば奈良県の北東部に宇陀市という街があるのをご存じでしょうか。日本書紀に日本で初めての「薬猟（くすりがり）」の記述が登場する、日本の薬草文化のふるさとです。古くは推古天皇の時代から天皇家に薬草を届ける役割を担っており、この地域からロート製薬、ツムラ、アステラス製薬といった多くの製薬企業の創設者が輩出されました。東に伊勢神宮、西に平城京、北に京都、南は熊野と歴史的な要所に囲まれ、心と身体を治癒する拠点として宇陀がある、というのも非常に興味深い立地です。

■ 図15：日本の里山

村の近くにあって、人々の暮らしに必要なものを採っていた山を「里山」という。

　出典：丹羽里山文化物語（https://www.city.tamba.lg.jp/site/kankyouka/satoyamabunkamonogatari.html）

こうした里山で培われてきた宇陀の薬草文化を日本の価値＝アセットとして捉え直せば、日本食の健康効果と漢方・薬草といった自然由来の健康法を組み合わせ、医学的なエビデンスを補完したうえで、自然と共生して食べながら心身の健康を目指す「医食同源」的な里山コミュニティを宇陀につくる、といったアイデアがひとつ生まれてきます。

里山をアップデートしよう

こうした里山が未来に向けてイノベーティブに進化した姿をイメージしてみましょう。それはきっと、過疎の解消のためになんとか若者を呼び込んで農業をしてもらおうと苦慮するような過去の在り方ではなく、自然のなかでクリエイティビティを刺激し、健康な心身を持って楽しく生きるためのコミュニティであるはずです。

そこで提供していくべきは単なる自然回帰ではなく、テクノロジーによるアップデートを取り入れた新しい価値。わたしは「おいしいのシェア」が、未来の里山における新しい価値になると考えています。

ではその「おいしいのシェア」とはどのようなものか。まずは日本各地に里山的なコミ

日本の薬草文化発祥の地、奈良県宇陀市。

ユニティを誕生させ、『リージェン・ビレッジ』や『イーレジデンシー』（第3章）のように国内外の人たちに向けて住民登録を募ります。登録をしてくれた人には、その土地に居住・滞在する権利が得られるほか、そこで採れる季節折々の農産物を送ります。同時に、それらの生産方法やホリスティックな活用の仕方まで「知財」としてシェアしていくのです。

この方法のメリットは、住民登録によってコミュニティ内の必要生産量が決められるため、食品ロスの発生を防ぐ循環的な生産リズムを構築できることです。また、世界各地に日本の「食」を「ブランド」として浸透させる役割も果たし、併せて「日本的な循環農業」や「医食同源的な食生活」という知財も日本発のブランドとなる。それが「おいしく」「健康」で「サスティナブル」と評価されるほど「世界一おいしい国」の価値は高まり、外貨をもたらしてくれるでしょう。

「藩」の数だけ地域の多様性があると考えれば、日本各地の里山の数だけブランドが誕生します。それぞれの地域性に合った循環型社会の在り方や、野菜や果実の持つ健康効果を研究することで、里山の数だけ「自然共生型のおいしいラボラトリー」が生まれていくとも考えられます。

こういった動きの根底にあるのは「地球を守っていこう」という人類としての共通意識です。それを、未来の危機をあおるような形ではなく、おいしくて、楽しくて、多様性をリスペクトする形で未来の里山が叶えていく。そうすれば「幸せに暮らしたい」というシンプルな動機で世界の人が集まる場所に、日本という国がなっていく。たとえ人口が少なかったとしても、それは豊かで幸せな未来の姿ではないでしょうか。

知財化で経済基盤をつくる

ポイントを整理しましょう。

自然のリズムを感じながら暮らし、地産地消を心がけ、おいしく食べながら心身が健康になるコミュニティを日本各地につくり、人口が減っても楽しく生きていける社会にしよう。そういった暮らしぶりそのものを日本の資産として世界に発信し、自然と共生する生き方を求める人たちと、海を越えてつながっていこう。

ではそのとき、どのように経済を回していくのか。

言わば「おいしい経済圏」とも呼べるこの仕組みを駆動させるエンジンとなるのが「知財」です。「知財＝知的財産」は、財産として価値を持つアイデアや創作物のこと。発明によって生まれる「特許」やロゴマークなどの「商標権」、文芸や美術などにおける「著作権」などが代表的です。

長い年月をかけて醸成されてきた「日本の食」のなかには、サスティナビリティや健康効果、匠の技と呼ばれる料理人の技術など、無数の価値ある情報が含まれています。これらをテックの力も借りながら解析し、知財に変えていけば、これまで属人的だった情報も保存ができ、シェアをすることも容易になります。

特許を取得すれば、発明した技術が多くの人や社会に貢献し、その対価として特許料が支払われるのと同じで、日本の食にまつわる知財が活用されれば、世界に貢献できると同時に日本におカネが入ってきます。この方法には人口が減って労働生産性が下がっても安定的な収入が確保しやすい、というメリットがあります。

ここからは「知財」を軸として、これから新しい社会をつくるために2050年までに変えていきたい問題点、日本の食のどういう点が「知財」になるのか、知財化によって起こる前向きな変化について触れていきたいと思います。

匠の技の知財化は、技術の流出ではない

「おいしい」にまつわる匠の技をテックで分析し、知財化の実現に取り組むことはとても重要です。

産業革命で工業製品が生まれ、料理の場は土間から厨房へと移行しました。そして科学で成分を解析する分子調理（第2章）の手法が生まれ、ついに厨房を使わずに料理ができる時代が到来しました。若い世代のシェフには「数式でしかレシピを書かない」という人もいるのだとか。

フードテックの進化に伴って、今では冷蔵や火入れといった調理技術も、ある程度はロボティクスとAIが担えるようになっています。今後はさらに繊細な調理もできるようになっていくでしょう。今まで職人が先輩の手元を見ながら「盗み」、工夫して身につけた匠の技は、科学的な分析を通じて数値化され、再現できるようになってきたのです。もちろん、数値通りにAIが調理してどれだけ正確に味を再現できるのかは、まだまだ進化の余地があるため、今後は産学官での連携が活性化することを期待しています。

苦労して技を磨いた人ほど、「数値化」「知財化」という言葉に抵抗を感じるのではないか、と想像します。混同してほしくないのは、これは「技術を盗まれる」こととはまったく異なり、日本が持つ食についての知見を「知的財産」に変え、シェアすることで国際社会に貢献し、生まれた利益を日本に還流させる仕組みだ、ということです。

食から日本をアップデートする

「知財化」で日本経済を活性化していくために、変化が必要な部分もあります。こういった仕掛けは急ごしらえではできません。早くからビジョンを描き、その時がくるまでにいかに準備を整えておくかが勝負です。欧米諸国が戦略的に食に取り組んでいるのは、そういう視点に基づいているからであるはずです。

では具体的にはどのような変化が必要でしょうか。

ヒントはすでにこれまで書いてきた課題や、それに対する取り組みにちりばめられています。

①食産業の流動化と再構築

国内にある食関連の産業は農林漁業・食品製造業（食品加工）・関連流通業（小売）・外食産業・その他の5つに大別されています。食関連の各産業が横のつながりを持たない縦割り構造のため、全体で約117兆円もある規模を生かしきれていないことにはすでに触れました。

この縦割り構造となっている各食産業をひとまとめにし、業界全体で水平的な横軸の連携を構築できるよう再編成を行う必要があります。「食という文化産業」として広く捉え直すことができれば、117兆円を使ってもっと創造的な事業に取り組めるようになるでしょう。

たとえば、食業界の内側だけに留まらず、イートテックの発展を見越した工業や里山・里海を有する地方自治体、クリエイティブやエンターテインメント業界、ファッション産業、旅行業など、他分野とも積極的にコラボレーションすれば、これまでの食業界にはない新しい価値・視点が創出できるはずです。

■ 図16：日本の食関連産業の内訳

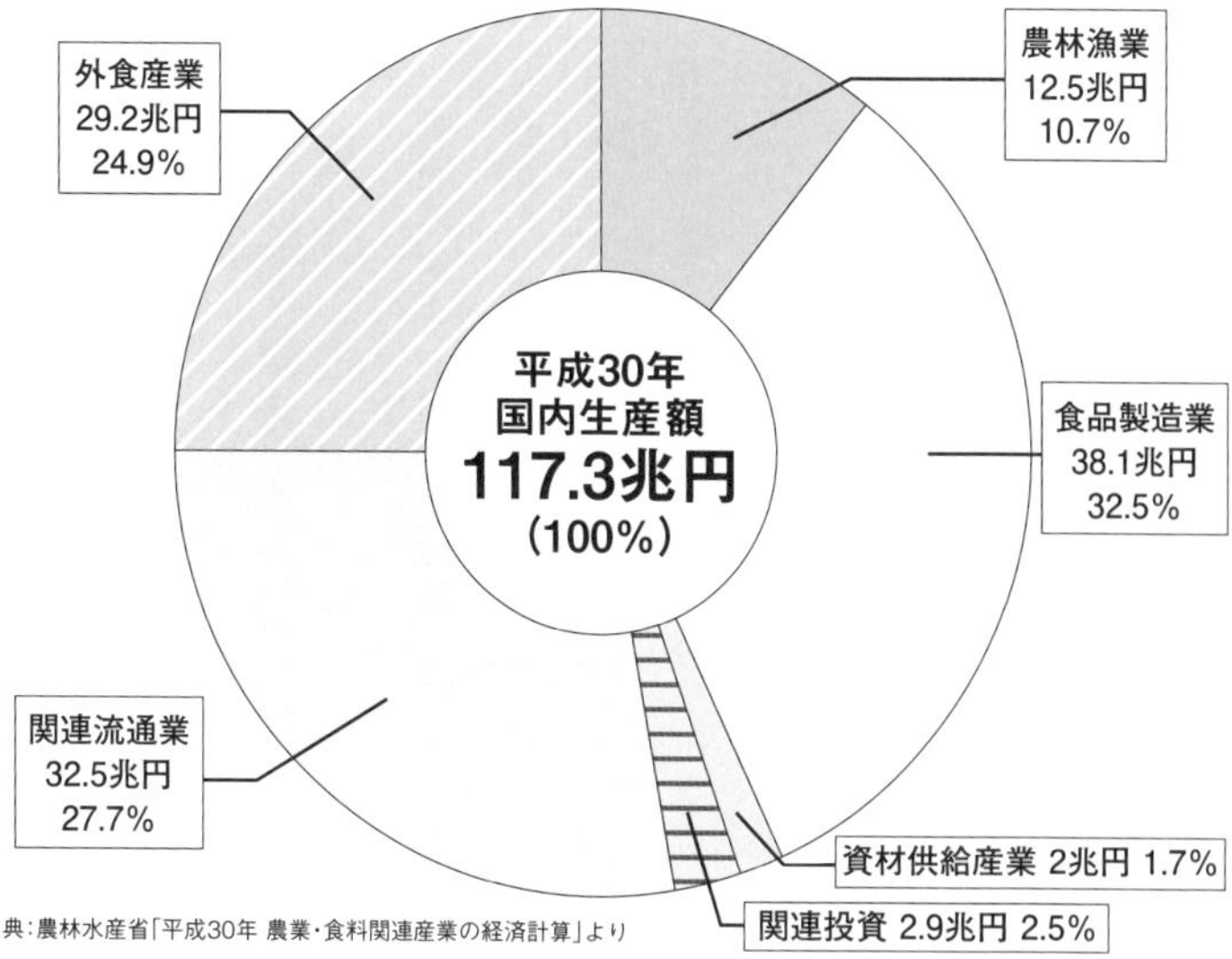

出典：農林水産省「平成30年 農業・食料関連産業の経済計算」より

というのも、これまでの食産業には農業にしろ、外食産業にしろ、肉体労働的なイメージがつきものでした。しかし時代が進むにつれ、人間が担っていた肉体労働がロボティックスに替わり、計算などの知的労働はコンピューティングが担っていくと考えられます。

２０５０年は「シンギュラリティ」（第１章）の到来後かもしれない時代ですから、共感を持って多様な人たちと連携することや、クリエイティブなレシピをつくることなど、人間のエモーションを触発していくロボットやＡＩにはできない「感情資本」こそ人間が能力を発揮する部分になるでしょう。そういったイノベーションを食産業で生み出すには、異なる業界からもたらされる新しい価値観との交流が欠かせないものとなるはずです。

②日本資産の縦の継承

農業に関する知見や調理の技法に代表される、高齢者の持つ技術や知識をどう次の世代に継承していくか、というのも今後の課題です。その解消は、これまで個人間の努力に委ねられてきましたが、祖父母世代と孫世代が交流する接点を設け、継承を促す仕組みを官民共同で整えるなど、ソーシャルデザインとして考えていく必要があるでしょう。

都市化によって引き起こされる人口の流出が、地方の過疎化に拍車をかけていることについては既にお話ししましたが、若者たちが地方社会に来てくれる効果は、単なる過疎化の解消に留まりません。

デジタルネイティブである彼らは、SNSなどのツールを使いこなして情報を発信し、横のつながりをつくることに長けています。そういったバイタリティのある若者が何人か地方に入ってくれれば、彼らがどんどん同世代に対する影響を生み出してくれます。そのうち**「若い人たちがたくさんやってくる地域」として注目が高まり、街のイメージが刷新されていきます。若者たちが地方に来てくれることは、地方都市のＰＲやブランディング効果も果たすのです。**

実際、福岡県・糸島市や高知県・高知市など、若者の流入で注目される街は増えてきました。こういった動きを広く波及させるには、若者に働きかけるだけでは不十分です。第1章の「けしからんジイさん・バアさん」の話のように、受け入れる高齢者側の意識も変えないといけません。

血縁のある・なしにかかわらず、帰属するコミュニティがあるのは人間にとって幸せなことです。高齢者が増えていくこれからの時代は、若い世代と高齢者が地域社会を通じて良い関係を築くことが、地域コミュニティの質を向上させます。

日本の知的資産の縦の継承と、人と人がつながる地域社会の実現のため、戦略的に官民学が連携していかなければなりません。

「食のデータ化」と「オーケストレーション」を武器にする

世代や業界を越えて、いろいろな知恵や技術を持っている人たちと水平的にコラボレーションし、違うものを取り入れて新しい価値を生んでいく。これはまさにその精神につながるものであり、黒潮の恵みである他国の文化をいただいて、自国の文化と調和させながら進化してきたプロセスの再現でもある。つまり、今まで日本がずっと続けてきた得意分野であるはずです。

マッキンゼー・アンド・カンパニーの山田唯人さんは著書『食と農の未来』（日本経済新聞出版）の中で、それぞれの特性を最も効果的に組み合わせ、発展させるこの手法のことを「オーケストレーション」と表現しています。既に実現されている、オーケストレーションの先行事例をご紹介しましょう。

『ベーカリー・ドゥークー』

醸造の街として知られる愛知県・碧南市に『ベーカリー・ドゥークー』というパン屋が

『ベーカリー・ドゥークー』の醸造パン。

あります。店主・土屋彰吾さんは、同市の有機白しょうゆ、白だし、「三河熟成みりん」を使って『碧醸造2代目』という食パンを地元の醸造メーカーとグループ開発し、農林水産省主催の『味の匠応援プロジェクト』で特別賞を受賞しました。わたしも食してみましたが、風味豊かでおいしく、きんぴらごぼうなど和食のお惣菜にも合うところに感激しました。

　これはパン屋がパンだけを、醸造所が醸造品だけをつくっていては生まれなかった商品です。「パン」「醸造品」「街の歴史」「若者世代の感性」といった要素が掛け合わされることで、生産者・販売者・購入者、そして地域にもプラスの要素をもたらしたオーケストレーションだと思います。

『Oisix』

食品の宅配サービスで知られる『Oisix』は、契約農家から仕入れた有機野菜の通信販売からスタートした会社です。現在では共働き世帯や育児に忙しい家庭をターゲットにしたミールキット『Kit Oisix』の開発も手掛けるほか、植物肉の開発などサスティナブルなフードテック企業に対する支援も行っています。『Oisix』は「食卓を豊かにする」ということを基軸にした結果、農業だけにこだわらず、食品加工や流通を柔軟に掛け合わせてサービスを構築していった、オーケストレーション的発想のビジネスだと言えるでしょう。

先ほど、「食産業の流動化と再構築」として述べたように、農業、メーカー、外食など縦割りで食産業を捉えるのをやめて、水平的なつながりで食を捉え直すと、「食×癒やし」「食×旅」など「おいしい」の概念が広がっていきます。そこに対し、オーケストレーションの発想で様々な業界から適材適所をつなげていくほうが、先入観や慣習にしばられず、食の可能性をよりクリエイティブに伸ばしていきやすい。当然、食の現場におけるイノベーションも活性化するはずです。

「おいしい技」×「テクノロジー」で未来の日本をイメージしよう

こうして「知財化」を取り入れることを念頭におきながら、未来のコミュニティの姿を改めてイメージすると、美しい里山的な暮らしを先端テクノロジーが下支えする、自然とテックが一体となった新しい社会構造が浮かび上がってきます。

仮に、そういったコミュニティで医食同源的な食生活を実践しようとするならば、医学的なアプローチによるエビデンスが必要になります。人口が減るなかでサスティナブルな農業を追求するなら、AIによる育成管理を取り入れるかもしれません。つまりそれは、わたしたちはどうテクノロジーを生かしどう食べるか、という「イートテック」を日本に根づかせ、花開かせる必要性につながってゆきます。

もちろん先進国と呼ばれている国ならどこでも、テクノロジーの研究を熱心に進めていることでしょう。しかし素晴らしい技術で代替肉がつくれたとしても、それがおいしくなければフードテックで単なるソリューションを生み出したにすぎません。

食において「おいしい」ことは重要な価値です。**既存のおいしいものを数値で解析するのと、0から1の発想でおいしいものを生み出すのとでは天地ほどの差があり、後者には関西の調味技術に代表される「おいしい」を判断し、評価する感性が必要です。日本にあって世界にないのは、まさにそこです。**

世界で最も「おいしい」が集まっていて、「おいしい」を評価できる人もたくさんおり、おいしいものを求めて美食家が世界中から集まってくるほど、味に対する信頼がある。「世界一おいしい国」をつくりあげた味覚の総合力も日本の強みなのです。

2050年の日本を「おいしいシリコンバレー」に

アメリカには「シリコンバレー」と呼ばれるテック産業の集積地があり、ITのあらゆるプロフェッショナルが集まっています。OS基盤ならあのチーム、アプリならこのチームと、最適なソリューションを提供し、テクノロジーを進化させる。そういった環境のなか、先進的なスタートアップや彼らを後押しするインキュベーターも集まって、ITを軸とした豊かな生態系が生まれています。

世界のあらゆる食文化が集まる日本という国は、これから「おいしいシリコンバレー」の役割を果たしていくのではないでしょうか。発酵や調味、調理など「味のテクニック」を持った専門家がいて、世界各国の素材が持つ「おいしい」のポテンシャルを引き出せる。そこでは、バイオテック・アグリテック・ヘルステックと連動しながら「味」だけでなく「歴史・文化」「健康」「おいしい」にまつわる様々な実験を行い、知財によるソリューションを提供、食糧危機や栄養問題といった世界の人口爆発に伴う課題にも貢献していく。

地方の自然をのびのびと享受しながら自ら耕し暮らす生き方と、先端テクノロジーが相乗効果を生む社会。まずは2050年に向け、そういった在り方を目指して準備を始めていく必要があります。

日本の工業技術で食を進化させる

その可能性を伸ばすカギは「食とテック」のマリアージュを追求する、ということに尽きますが、ここで言う「テック」には2通りの意味合いがあります。

ひとつは食べるにまつわる全てを含んだテクノロジーである「フードテック」。もうひとつが「テクニック=技術」のことです。

明治時代は近代国家を目指すため、そして戦後は国力を一日も早く回復しようと、日本が長年力を入れてきたのが工業で、製鉄や造船、自動車に家電と、品目の幅を広げながら着々と技術力を高めてきました。この、日本が誇る工業技術が、「おいしい」をさらに面白く、クリエイティブに進化させる立役者となるとしたら、こんなに心強いことはあるでしょうか。知財化を後押しするテックは確実に発達しています。その事例をご紹介しましょう。

自動車工場から産まれたグルメバーガー

わたしの仕事仲間に、花光雅丸さんという経営者がいます。彼は2021年5月『ベックスバーガー』というテイクアウト専門のハンバーガーショップを東京・吉祥寺にオープンしました。

このお店のウリは、おいしさにこだわったグルメバーガーをファストフード価格で提供すること。オーストラリア産の牛モモ肉を使った肉厚のパティに、トマトとシャキシャキのレタスを合わせ、自社工場で焼き上げた無添加のバンズに挟んだ本格バーガーを開発。そこに皮付きのフライドポテトとドリンクまで付いて、価格は620円（税別・2021年12月現在）。コロナ禍でテイクアウト需要が高まっていることもあり、オープン当初から連日行列ができています。

素材と味にこだわりながら、どうしてこの価格で提供できるのか。その答えが「テック」の導入です。注文と会計を行うのは、タッチパネル式の販売機。オーダー後は、パティとバンズに自動で火入れを行う特注の機械が活躍します。人力で行うのは包んでまとめる最後のアッセンブリなど、かんたんな作業のみ。徹底的に作業の効率化を図ったこの体制は、

自動調理器を使って高品質低価格を実現した『ベックスバーガー』。

将来の多店舗経営を視野に入れたものです。

こういった自動調理を行う厨房は『ベックスバーガー』のためにオリジナルで開発されたものですが、その製作を手掛けたのは『アオキシンテック』という栃木県の会社です。本来は大手自動車メーカーの下請け工場として部品加工や設備の製作を主に行っていますが、自動車産業の落ち込みと連動して発注が減り、新たに始めたのが自動調理機能を持つ厨房機器でした。

フードビジネスの現場、特に外食産業においては、自動調理はまだ導入が進んでいない分野です。運転席という限られた空間の中に、必要な制御技術を盛り込む『アオキシンテック』のエンジニアリング力は厨房のイノベーションという分野でもいかんなく発揮されています。

日本発の世界的イノベーション

『ベックスバーガー』の事例は、「フードテック」のひとつである自動調理に、これまで自動車製造で培われてきた技術が転用され、生かされたケースです。生産性や精度の向上など「テクノロジー」を使った発展を目指すとき、日本の製造業が持っている優れた「テクニック」を生かさない手はありません。

日本の工業技術は、これまで数々の世界的イノベーションを起こしてきた実績がありま す。その代表が1973年、ホンダが世界に先駆けて開発した低公害エンジン『CVCC』ではないでしょうか。70年代当時は、モータリゼーションの発展と共に広がる大気汚染の解消が世界的な課題となっていました。アメリカでは厳しい排出ガス規制法が施行され、多くの自動車メーカーがその対応に苦慮していましたが、そんな状況のなかで、世界で初めて規制をクリアしたのが『CVCCエンジン』です。優れた燃費と相まって、同エンジンが搭載されたホンダ・シビックは世界的な日本車ブームの火付け役となりました。

また、1979年に発売されたソニーの『ウォークマン』も革新的な製品でした。音楽は据えおきのオーディオセットで聴くのがあたりまえだった時代に、身につけて持ち歩ける画期的なカセットプレーヤーは音楽革命とも呼べる社会現象になりました。今では移動中や運動の最中に音楽を聴くのはあたりまえの行為ですが、それは『ウォークマン』がわたしたちのライフスタイルを変えたからなのです。

日本の危機がイノベーションの前兆

しかし、書籍『フードテック革命』のなかでも指摘があったように、「ガラケー」の誕生を最後に、社会にインパクトを与えるような日本発のイノベーションは、めっきり見られなくなってしまいました。スマートフォンの波にも乗り遅れ、最近は日本のものづくり力が弱体化している、といった指摘も世の中から聞こえてきます。

ですがわたしは、そこについて心配性にならず、今をポジティブに捉えたいと思います。というのも、日本が力を発揮するのは、危機に直面したときだ、と歴史が教えてくれているからです。

写真提供:本田技研工業株式会社

『CVCCエンジン』搭載のホンダシビック。

１８５３年、黒船に乗ってアメリカのペリーがやってきた後、日本は２６０年続いた江戸幕府の体制をたった15年で変えてしまいました。そして明治政府を立ち上げるやいなや、あっという間に近代国家の仲間入りを果たしています。また、日本を代表する自動車メーカーのトヨタも、もともとは村の農家で使われている手機（てばた）を機械で自動化した企業がはじまりで、そこにモータリゼーションという革命的な時代の波が到来したことで、自動車事業へもその領域を広げ、世界のトヨタをつくりあげたのです。先んじて変化を牽引することはしなくても、一度変わると決めたら、アッと驚くものすごい勢いで変化を起こす。

日本にはそういった特徴があるように思います。

なぜ危機に直面するとイノベーションが起きるのか、その理由はわたしにもよくわかりません。黒潮というベルトコンベアが文化を運んでくれたせいで、受け身の気質がしみついているのでしょうか。それとも、元寇を除けば黒船が来るまでほとんど外敵を意識せずに済んだため、常に侵略と隣り合わせだった欧米諸国よりのんびりしているのでしょうか。

仮にそうだとして、受け身であることは異質なものを自国に取り入れるハーモナイズ力を伸ばしたでしょうし、侵略されなかったことは職人が安定的に制作に励める環境をつくったことでしょう。

たとえ「自動車」という新しい乗り物をつくれなかったとしても、欧米からやってきた自動車の仕組みをコツコツと研究し、やがては世界初の『CVCCエンジン』をつくってしまう。**そんな「より良くする力」が日本の能力なのです。イノベーションの起点になることには弱い。でも、世界中から集まる技術や文化を高度なクオリティに熟成させる力、それが日本の真骨頂なのです。**だからこそ、日本にもともとあるおいしい技を、世界のテクノロジーを生かしながらジャパン・オリジナルに昇華させることこそ、日本の「勝ち筋」であるに違いありません。

ドイツの職人技を日本のAIが知財化

「より良く」で言えば、こんな事例もあります。

ドイツの菓子職人カール・ユーハイムさんが創業したお菓子メーカーのユーハイムは、1919年に日本で初めてバウムクーヘンを焼いた会社です。その「日本のバウムクーヘンの元祖」がフードテックに参入、AIを搭載したバウムクーヘン専用オーブン『THEO（テオ）』を開発しました。ベテラン職人の技術をAIに繰り返し学習させることで、今や彼らと同等レベルの焼き上がりを実現させるほどです。

この『THEO』誕生のきっかけについて、河本英雄社長にお話を伺ったことがあります。かつてユーハイムの職人らを連れてアフリカを訪問した際、決して豊かな暮らしには見えない村で目にしたのは、子どもたちがとても幸せそうに飴玉を食べる様子でした。それを見て河本社長らは「アフリカの子どもたちにおいしいお菓子を届けられないか？」と思ったそうです。しかし、日本からお菓子を送るのには時間も手間もかかり、輸送にかかる環境負荷の問題も見逃せません。帰国してから1年ほど経ったある日、「現地に機械を置いて、現地の素材を使って日本の職人がリモートで焼けばいいのでは？」と閃きました。そこから5年がかりで完成へと邁進してきたのが『THEO』です。「卵・小麦・砂糖ならアフリカにもある。いつか必ず焼きたてのバウムクーヘンをお腹いっぱい食べさせたい」というのが河本社長の夢なのだとか。

バウムクーヘンは大変手間のかかるお菓子で、生地をつけ、表面を焼きながらぐるりと回すことを何度も繰り返しながら成型するため、本場ドイツでもバウムクーヘンを焼く職人が減り、廃れ気味になっているそうです。しかし細かい作業も苦にしない日本の職人はレベルが高く、ユーハイムではドイツの職人との学び合いも実施しています。ドイツ人に教わったお菓子づくりを、AIの力を借りて世界にシェアする。それは日本人が巻き方をこつこつと学び、匠の技にまで洗練させたからできる貢献の仕方だ、とも言えるでしょう。

ちなみにユーハイムは2021年3月、愛知県・名古屋市に食の未来をテーマにした複合施設『BAUM HAUS』をオープン、『THEO』が焼いたバウムクーヘンが食べられるカフェも完成しました。

神戸生まれのユーハイムが名古屋にフードテックの拠点をつくったことに、わたしは密かなメッセージ性を感じました。というのは、名古屋と言えば尾張、尾張と言えば織田信

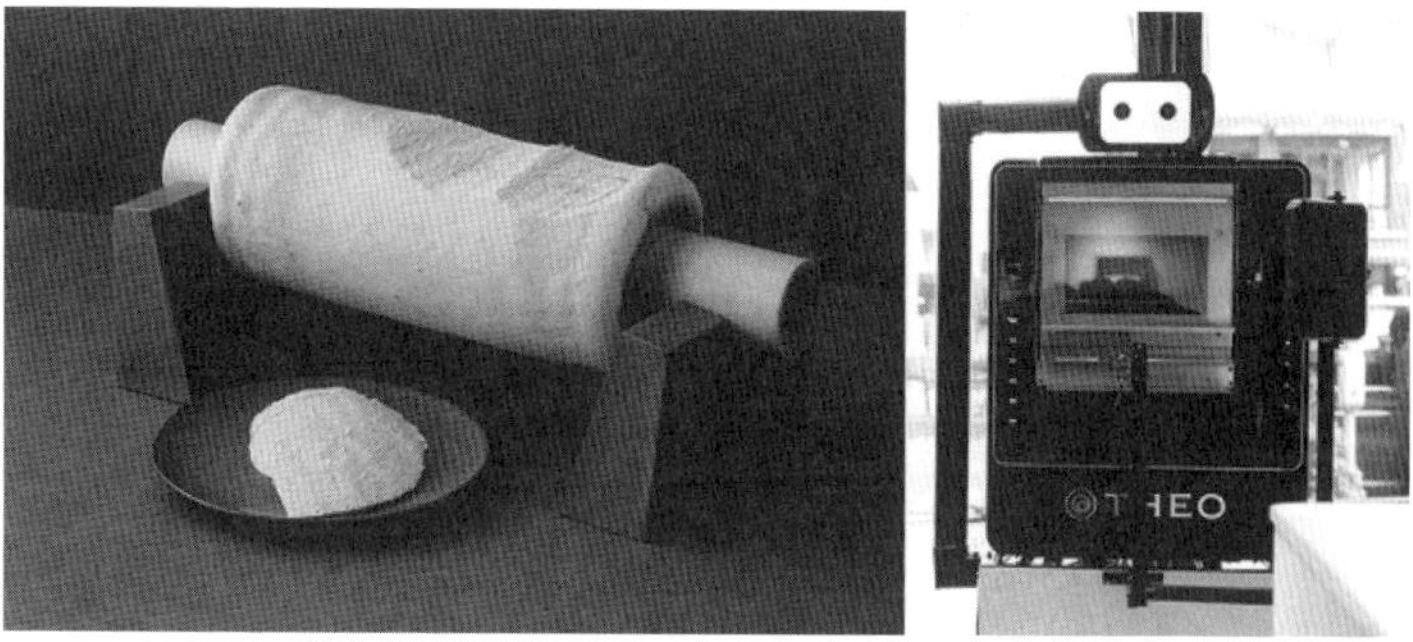

AIを搭載したバウムクーヘン専用オーブン『THEO』。

長です。彼は楽市楽座に鉄砲と、新しいものをどんどん取り入れた日本の歴史きってのイノベーターです。からくり人形やパチンコなど、そのものづくりにも遊び心を感じさせる名古屋のお土地柄は、「バウムクーヘンづくりのAI化」というイノベーティブな試みにぴったりなのです。

そして尾張の隣りにある三河は、トヨタの総本山・豊田市があるところです。そして三河と言えば徳川家康。「トヨタ生産システム」と呼ばれる徹底的に無駄を省いたものづくりは、決めたことをきっちりとやり遂げる家康の姿を想起させます。東海エリアの製造業が非常に発達しているのは、クリエイティブな尾張と仕組み化のうまい三河、異なる性質の掛け合わせによるパワーなのかもしれません。

欧米のシーズとアジアのニーズ

さて、少し話が逸れましたが、ここまでを振り返ると日本の「テック」にはある特徴があることが見えてきます。

欧米社会が得意なのは、これまでになかった新しい技術や発想の起点を生み出す「シーズ」の創造です。古くは自動車・飛行機・電話といったものから、最近ではパソコンにスマートフォン、そしてフードテックと、世の中を変える革命的な「シーズ」は、ほぼ欧米社会から誕生している、と言っていいでしょう。他方、不満や欲求、生活需要といった「ニーズ」が生まれる場所は、圧倒的にアジアとアフリカ社会です。これは人口が多く、食料や医療、治安といった根源的な課題が常にある、ということに起因しています。

そういったなかにおいて、古くから様々な文化が流れ着く場所として、入ってきたものを編集・加工する技を磨いてきた日本は、欧米とアジア・アフリカのどちらとも異なるようです。バウムクーヘンのように本国よりも巧みに技術を発展させたり、自動車のように

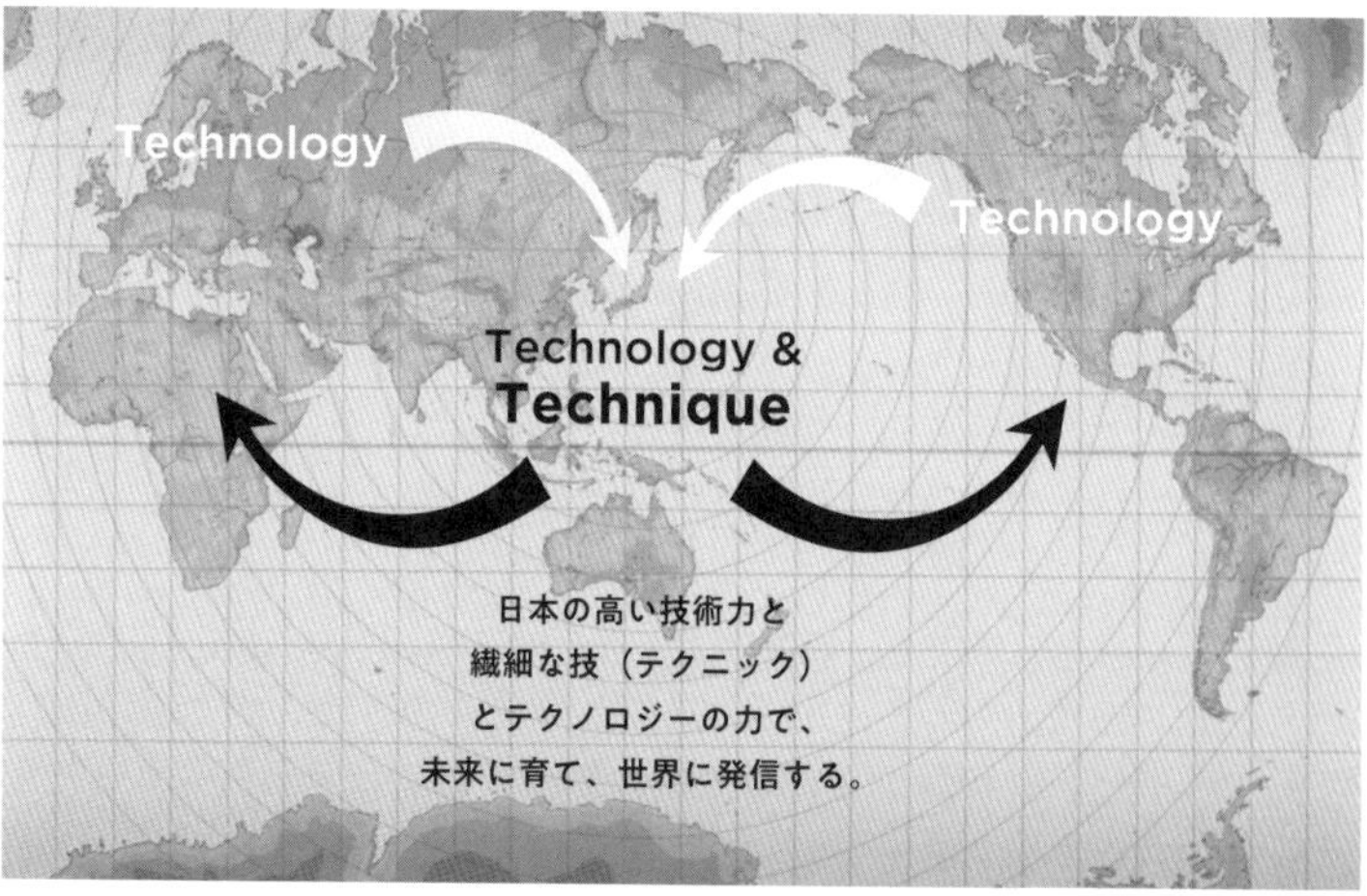
Technology
Technology
Technology &
Technique
日本の高い技術力と
繊細な技（テクニック）
とテクノロジーの力で、
未来に育て、世界に発信する。

製造工程を仕組み化して効率を上げたりする。破壊的なテクノロジーをいち早く生み出すのが欧米の強みなら、それをテック＝技術の力で磨き、発展・進化させるのが日本の得意技なのです。中でも食の分野は1000年以上かけてこの島国で磨きをかけてきた、その真骨頂。この「おいしい」の技術をテクノロジーと掛け合わせることにより日本の経済成長と世界の幸福、両面に貢献できるのです。

　また、これから世界は人口爆発を迎え、その一方で日本は各国に先駆けて人口減少を迎える。ここにも日本が他国より優位性のあるポイントがあります。

　人口爆発を迎える国や地域は、どうして

も地球環境のことより、食料確保やインフラの整備、治安の維持といった事柄が優先になるでしょう。そのとき、人口爆発と少子化を先に経験している日本は、どういった課題が起こるのか、どうすれば解決できるのか、という道筋を描くための貴重なテストケースを持つ国、という影響力を持てるのです。

これから日本が人口減少社会を迎えたとしても、そこに住むわたしたちが持続可能な社会を実現しておいしく幸せに暮らすことができたなら、そのノウハウ自体を国のアセットとして、人口爆発地域や少子高齢化を迎える国々に役立てることができます。特に、食糧不足という重要なテーマを考えるうえでは、「食」という強みが他国にはないポテンシャルになるでしょう。

つまり、日本ができる世界への貢献は……

このことから考えると、未来の日本が「おいしいシリコンバレー」となったときに期待される貢献とは、**欧米で生まれるフードテックの革新的なイノベーションと、アジア・アフリカで起こる人口爆発を想定した地球規模のニーズ、その両者をつなげ、発展させるこ**

とです。具体的な例で言うと、代替肉やバイオ農業など、欧米由来のテクノロジーをいかにアジア・アフリカに向けて使いやすくローカライズするか、そして単なる食糧危機のソリューションにするのではなく、どれだけおいしくできるか、といった事柄です。『ＣＶＣＣエンジン』や『ウォークマン』など工業を通じて世界に知らしめた、より便利に、よりクリエイティブに進化させる日本の技術力。２０５０年以降、より便利に、よりおいしく進化させる「イートテック」が、ものづくり日本の代名詞となる、時代はそんな姿を求めているように思います。

ここからは、食を使って世界の社会課題をどう解決し、どう世界に貢献するか、というイメージをつかみやすくするための具体事例をご紹介します。

日本には、環境負荷を減らしながら生産を安定させる「植物工場」という卓越したシステムや、世界的な飢餓を救うと期待されている豊富な栄養素を含んだ食材があります。これらの生産・生育システムを転用していくことで、食糧生産力を増していくことができるのです。

最先端のIT技術を駆使した植物工場『村上農園』。

Case 1

最新技術で工場化した村上農園

食糧不足・栄養不足を解消する手段のひとつとして期待されているのが、施設の中で生育環境を整えて野菜などの植物を生産する「植物工場」です。

広島県に本社を置く『村上農園』は、かいわれ大根や豆苗といったスプラウトの生産におけるトップメーカーで、品種改良や栽培技術を駆使して野菜の有用成分を高めた「高成分野菜」の開発でも知られています。アメリカのジョンズ・ホプキンス大学と独占ライセンス契約を結んで生産するブロッコリースーパースプラウトは、優れた解毒・抗酸化作用で注目される有用成分「スルフォラファン」を成熟ブロッコリーの20倍以上も含んでいます。その生産の現場が、最先端のＩＴ技術を活用した植物工場。現在は関連会社を含め全国10カ所の生産施設をネットワークで結び、栽培情報を共有して品質の均一化に努めています。また、コンピュータが自動制御する完全人工光型植物工場「スーパースプラウトファクトリー」の稼働も２０２１年４月からスタート。特別な栽培装置で水・光・酸素を行きわたらせることで、たった数日で収穫が可能になるそうです。

もし植物工場のノウハウが人口爆発地域に導入されたとしたら、環境や天候、土壌の質に左右されることなく安定的な生産ができるうえ、少量でも高い栄養を摂取できる野菜をつくることが可能になるでしょう。

Case 2
高栄養の食資源スピルリナとパブロバ

世界6位の海岸線大国である日本には「藻」という財産もあります。

日本の海岸線の長さは2万９７５１キロメートルにも及ぶうえ、暖流と寒流の影響が入り交じる立地的な特性から海藻類が豊富に採れます。その種類は、昔から利用され馴染み深いアオノリやこんぶ、ワカメに至るまで約１５００種にもなるのだとか。

スーパーフードの王様、スピルリナの養殖。

かつては存在が軽視されていたこともあり、漁業の邪魔者として海藻類を排除した結果、赤潮の原因となったケースもありましたが、健康志向の高まりとともに見直されているのがその豊富な栄養成分。野菜と比較してミネラルや食物繊維が多く、ビタミンも豊富。良質のたんぱく質も含まれているのです。「藻」の中には、前述した海藻類のほかに、微細藻類と呼ばれる単細胞性の植物プランクトンも含まれます。微細藻類は、過去には大量に培養することが難しいとされ、実際に商業利用できている種は数種類に限られていました。ところが近年、技術革新が起こりフォトバイオリアクターと呼ばれる培養装置が開発されたことにより、水（海水）と日光があれば多くの種類が容易に培養できるようになってきました。海洋に生息する微細藻類は4000種以上が報告されており（ちなみに陸域に生息している微細藻類は1万5000種以上が報告されています）、食糧不足が起こりやすい人口爆発地域で栄養価の高い微細藻類が培養できれば、健康状態を改善する食資源になるのではないか、と期待されています。

そういった意味も踏まえて注目を集めている微細藻類のひとつが、約30億年前に誕生したと言われるスピルリナ。50種以上の栄養・健康効果があることから「スーパーフードの王様」と呼ばれています。そのスピルリナ以上に多様な栄養成分を含むのが、沖縄の海で採取されたパブロバです。日本の海を知り尽くした男、オーピーバイオファクトリー株式会社の代表で元プロダイバーの金本昭彦さんがパブロバの成分に着目し、沖縄で研究を続けられており、前述のフォトバイオリアクターを利用することによって世界で初めて高密度大量培養に成功しました。

Case 3 保存力を高める発酵シート

食卓の定番である醤油に味噌、納豆にぬか漬けと、日本には多様な「発酵食品」があり、

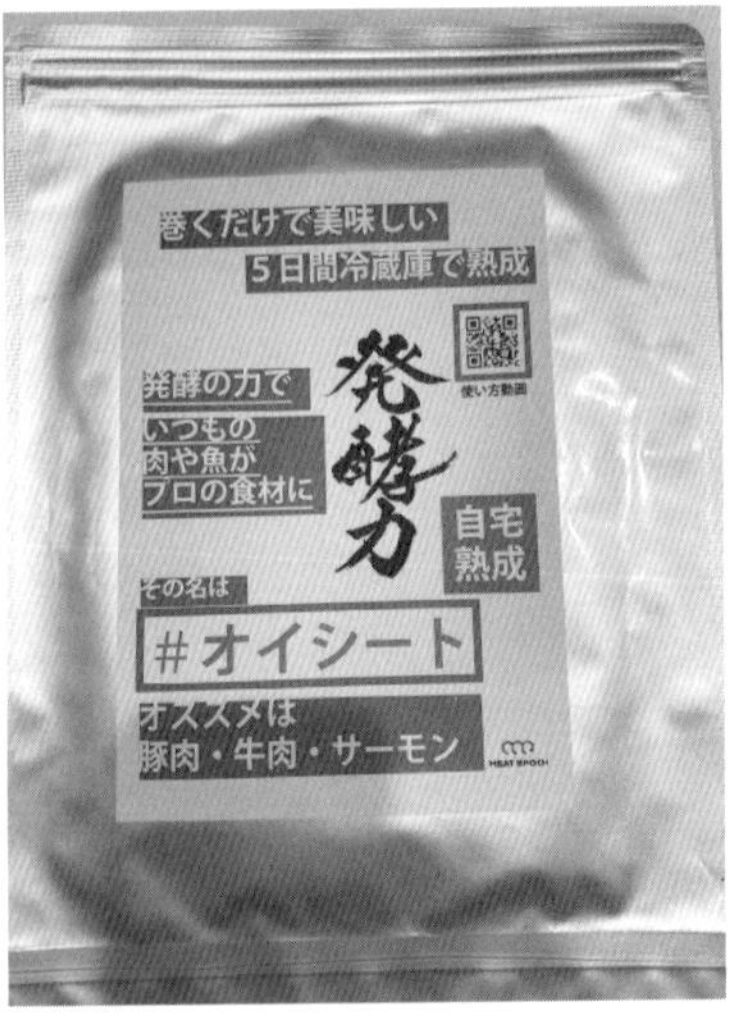

菌が発酵を促し、食品の酸化を抑える『発酵力 オイシート』。

グルタミン酸やイノシン酸といった旨味成分が発酵の過程で発生することでも知られています。こういった発酵技術をどこでも再現するバイオテックのひとつが『発酵力オイシート』です。

ミートエポックと明治大学農学部の産学連携事業で生まれたこの商品は、肉や魚を包むことでシートに付着させた菌が安全に熟成を促し、食品の変色や腐敗を遅らせるというもの。こういった商品の力を借りると、生肉や生魚の酸化を抑え保存期間を延長できるため、食事情を改善しながらおいしさを増すことができるのです。

Case 4
日本の農業技術を生かした『ルワンダ・ナッツ・カンパニー』

「高付加価値」農業で雇用を生み、地域の自立を助ける方法もあります。

アフリカのルワンダにある『ルワンダ・ナッツ・カンパニー』は、ルワンダの農家を日本人がサポートしながら、高品質のマカダミアナッツの生産・加工・輸出を手掛ける会社です。

マカダミアナッツは世界的に需要が高い作物ですが、生産地が限られており、苗を植えてから収穫のピークまで10年近くと成長に時間がかかるため、供給が常に足りていません。だからこそ安定した収穫体制が整えば、長期的に多くの人の生活を支えることができる、その点に着目したのが会社の特徴と言えます。

日本人の佐藤芳之さんが1974年に創業した、マカダミアナッツの世界的メーカー『ケニア・ナッツ・カンパニー』が同社のルーツ。農民がオーナーとなってナッツを生産する方式で、敷地面積は東京ドーム780個分、契約農家5万軒にまで成長、ケニアの25万人の生活を変えたと言われる会社です。

ルワンダでは現地に産業を生むだけでなく、土地の微生物や植物を利用した持続可能な有機農法の実証にも取り組んでいます。それを支えるのが日本の果樹園芸の専門家たち。日本人の農法と発酵の技術が、アフリカで生かされているのです。

消費都市の次は、どこへ？

この章でお伝えしてきたことは、消費し続ける社会からわたしたちはどう進化するか、というのが共通のテーマです。「物をつくって売る」ことを主体とした経済を現在も続けている日本ですが、今後人口が減っていけば、生産性を上げないと現在の産業構造は維持できなくなるでしょう。少ない人数で一定の経済を維持しようとすれば「安くたくさん」より「少量で高品質」へ、生活も消費エネルギーの多い都市型の暮らしから、資源を循環させる共生型のコミュニティへとシフトしていくのが自然なことです。

だとしても、都市に住んでいる人に対して、「今すぐ里山に住もう！」というのは、就業や生活の維持を考えるうえで難しい点が多いと思いますし、だからこそ里山を有する地方の過疎化は長年解消されないままです。国はこれを「農業の担い手問題」と捉えて、若者たちを地方に呼び込もうとしてきましたが、人口減少が改善される兆しは見えていません。

実際、わたしが若者だったとして「担い手問題の解消になるから、地方で農業をして暮らしなさい」と言われたら「絶対イヤだ！」と答えると思います。しかし、その土地に行ってみて、風土や文化の魅力を感じたうえで土着し、自然のなかで心身が喜ぶ感覚を得て生活し、そのうえで農作業がくっついてくるのだとしたら、受け止め方がまったく変わってきます。

京都大学の名誉教授で脳科学の権威でもある久保田競さんは、ランニング好きが高じてランナーズハイのメカニズムを研究し、時速9キロ以上で20分以上走ると前頭葉が活性化することを突きとめました。また時速4キロより速く歩く運動を毎日30～40分以上、できるなら1～2時間以上すると脳活動が活発になるのだそうです。つまり、わたしたち人類はそもそも、走りながら動きながら自然を感じ、思考し、生存するためのアイデア＝企画を常に生み出し続けてきた動物なのです。

わたしはこの話を聞いて、「出稼ぎ農家の発想力が、工場の現場を改善した」というエピソード（第2章）を思い出しました。里山での生活には田畑を耕し、崖地を開墾し、木を植えて……とコンスタントな肉体労働がつきものです。こういった暮らしが脳に対する刺激となり、里山に暮らす農家の発想力＝クリエイティビティを活性化させた可能性はないでしょうか。そこにさらにデジタル技術の活用による効率的な解決策を導入していく。そういう流れこそが、少ない人数による「少量高品質」な地方経済を実現させていけるはずです。

こういった農作業とクリエイティビティとテクノロジーの関係を解明していけば、デザインなどのクリエイティブな仕事を都心からリモートワークで請け負う傍ら、自然のなかで農作業を行うような働き方もより実現しやすくなっていくでしょう。

「日本のおいしい経済を実現する10の指針」を発信しよう

「日本料理や日本の食はすごい。ナンバーワンだ」と偉ぶることはかんたんです。しかし、その源流には多くのアジアの国々からいただいた文化がある。

明治期の思想家である岡倉天心さんは、かつてニューヨークで発刊した著書『THE BOOK OF TEA』のなかで、「自然を凌駕していく西洋的な文明は、自然と一体となり共存していく東洋的文化から学ぶべきだ」と主張しました。

自然と共生し調和する暮らし方と、健康でおいしい食の喜びを「日本の専売特許」とするのではなく、「アジアからいただいたもの」という意識を重んじながら世界へと発信する。知っての通り、アジア諸国も決して一枚岩ではありません。しかし多様性を表現しやすい食の力を借りれば、互いをリスペクトし合うことができるはずです。

そのうえで、日本の後に少子高齢化を迎える東アジアの国々の課題解決にも貢献していくことができれば、それは数々の文化を黒潮によっていただいてきた日本にしかできない貢献であり、リーダーシップにも寄与するのではないでしょうか。

最後に、わたしが考える「日本のおいしい経済を実現する10の指針」を記します。これは日本の「食」に対する指針ですが、同時に国内の経済対策であり、国際社会に対する日本らしい貢献を生み出すものです。この10の指針を実践することで日本のブランド力も向上させ、ここから食を通じたグローバルでポジティブな循環を生み出すことを目指しています。

1. ジオガストロノミー

高低差の激しい山々、広い海域と力強い海流、そして天からのあらゆる恵みに富んだ多種多様な地域性が、強い生命力を有する水の力・土の力を生み出した。そんな大地と水の力に満ちた食の純粋さ、素材の強さ、おいしさを地域特性ごとに表現する。

2. 季節性

千年以上にわたって四季折々の自然と共生し、向き合い続けてきたその歴史に想いを馳せ、春が来ることへの喜びや、秋の収穫への感謝など、二十四節気・七十二候にも及ぶアジア独自の季節の移ろいに対してのセンスやリズムを、未来に向けてもう一度研ぎ澄ます。

3. 里山・里海生活文化

世界に誇る里山・里海の生態系をつくってきた先人への感謝を国民全員で共有し、後世に引き継ぐ活動をリスペクトする。それを日本だけに留まらない命の循環・食の循環の普遍的モデルとして位置づけ、世界に拡げることにも尽力する。

4. 健康に貢献する食文化の継承

発酵技術などに代表されるような、日本だけでなくアジア全体に残る食生活文化に、古くから宿っている健康で幸せに生きるための叡智をレシピとして再編集し、次世代の子どもたちと共に継承し、分かち合う研究・実践の場を拡げ、学びの機会を拡げる。

5. 文化多様性への寛容性

八百万の神を大事にするように自然と共生すると共に、あらゆる外国の文化を生活に取り入れ、長い年月をかけて成熟させてきた。そんな多様で寛容な好奇心を常に持ち、世界の食文化を「おいしい」でつなぐガストロノミーハブとしての役割を果たす。

6. グローバルセンス

世界の人々の食の未来課題、価値観や嗜好の変化などに常に意識を持ち、日本の各地域における食の特性が世界といかに同期しながら共創し、貢献・発展できるかに思いを馳せ、その永続的つながりを構築する努力を惜しまない。

7. SDGs

地球環境負荷が低く、ヘルシーでもある日本の食文化は、サスティナブルな社会実現へのソリューションになり得るという自覚を持つ一方、食品ロスなどの自国特有の課題に正面から向き合う覚悟を持ち、完全循環型社会の実現を目指す。

8. ブランドとデザイン

全ての食関連分野にＩＴとデザインを活用することで、コミュニケーション&ブランド戦略を強化する。日本の食関連の様々なストーリーを世界に発信することにより、結果的に食だけに留まらない日本全体のブランディングに寄与する。

9. テクノロジーの活用

日本独自の「おいしい」の担い手である匠の技と、AIやフードテックなどの先端テクノロジーを融合することで、食に携わる人々全ての叡智を糾合し、知財化を目指し、世界と交流する「おいしいグローバルコミュニティ」づくりを推進する。

10. 食産業のコミュニティ化

飲食店や農業・漁業、食品、小売業などの食関連産業に留まらず、観光や不動産、エンターテインメント、家電やモビリティ産業などに至るまで、あらゆる産業や学術研究者や政治家などのマルチステークホルダーと連携し、「世界一おいしい社会の実現」こそが日本の成長戦略の要だと位置づける。

食の楽しさ、つながる楽しさ、生きる楽しさ、それらを大切に育てていくこと。

それがこれからの、日本の成長戦略なのです。

第5章

2050年の世界をつくる君へ

人口が減少しても幸せに暮らせる
循環型の社会へ、食のチカラで生まれ変わる。
そんな未来を叶える原動力は、
「誰か」ではなく当事者である
「わたしたち」ひとりひとりの行動です。

人口が減り続ける日本の未来は、これまで「将来の危機」という悲観的な文脈で語られることがほとんどでした。しかし2050年以降を生きる人々、特に若い世代にはこの現象を「国が生まれ変わる絶好のチャンス」としてポジティブに変換できる可能性があることを、ぜひ見つめてほしいと思います。

今までの「あたりまえ」は通用しない

世間の一般常識や共通認識を表す「コモンセンス」という言葉があります。いわゆる「あたりまえ」というものですが、これは時代の変化に応じて、その都度新しく更新されてきました。日本で言えば、明治維新や太平洋戦争の終結などがコモンセンスの転換点だったのではないでしょうか。

現代のわたしたちもまた、社会の変革に立ち会っている最中です。毎朝決まった時間に職場に行って、上長の顔色を伺いながら「仕事のルール」に則って過ごし、体力・気力のほとんどを仕事で消耗する。それは多くの日本人にとって一般的な「あたりまえ」でした。

しかしそこに、新型コロナウイルスという破壊的な変化が前触れもなくやってきました。

外出は制限され、リモートワークが一気に浸透。会議の在り方や書類の取り扱いなどこれまでの業務フローも見直され始めました。職場の飲み会が減って家族との時間が増えるなど、生活リズムが変化した人も多いはずです。昭和の姿を色濃く残していた日本の「あたりまえ」はすでに解体が始まりました。これからもっと変わっていくはずです。

社会の基準が変わる今のようなときは、何が正解なのか誰も答えを持っていません。これまでのように70代・80代が中心となって取り仕切るやり方を続けては、せっかくの変化の機会が生かされないまま、以前の姿に逆戻りしてしまう可能性もあります。

次の時代の新しい「あたりまえ」は、2050年以降の世界を担う人たちが中心となってつくるべきです。それはつまり、現在10代〜30代の若者たちです。

答えなき世界の答えは、君たちがつくる

2011年に東日本大震災が起こった後、わたしは被災地域の食産業を支援するため『東の食の会』という団体を立ち上げ、東北との行き来を繰り返していました。各地が甚大な被害を受けていましたが、そのなかで他市町村より比較的早いペースで復興が進んでいた

のが宮城県・女川町です。あるモットーがその町には掲げられていました。

「還暦以上の人は口を出さないように」

震災直後、町のキーパーソンにそう呼びかけたのは、地元の商工会会長の高橋正典さんです。自身も還暦を超えた立場として、これからの町づくりは未来を生きる若い人がやらなくてはいけない、という信念から出た言葉でしたが、地域の年長者たちも次々と呼応しました。復興の現場は公民が連携した30～50代中心のメンバーに任され、60歳以上の人たちは裏方として、彼らの障害を取り除く立場にまわりました。その体制は後に「復興のモデル」と呼ばれるほどの成果を生んだのです。

わたしは50代ですから2050年には80代。50年後の日本を見ることはおそらくないでしょう。しかしわたしと一緒に働いてくれている若い世代の社員たちは、50年後の世界も生きます。そして人口が4800万人強になる2100年の日本で生きるのが、彼らの子ども世代です。

ここ数年、世の中のムーブメントを見ていると、10～20代の若者たちのSDGsに対する意識の高さには驚かされます。社会問題を自分ごととして捉える彼らは消費や流行に振りまわされず、地方に移住して自然な農業をしたり、地方発のDtoCビジネスをスタートしたりと、大量生産・大量消費時代とは違う生き方を既に体現し始めています。彼らの感性こそ新しい「あたりまえ」に生かされるべきですし、40代以上の世代は若い彼らのサポートを行う形で一緒に未来をつくっていく、そんな役割分担ができれば理想的です。

わたしのこれからのミッションは、長年手掛けてきた「カフェ」というコミュニティづくりのノウハウを生かし、若者たちが日本各地で自分らしい働き方を見つけていける「仕組み」を、食を通じてつくっていくこと。それが未来を生きる世代に対し、おじさん世代ができる手助けであり、わたしの最後の仕事となるでしょう。

人口2000万人でも豊かな日本をつくる

人口が減ることは決して怖いことではなく、多くのチャンスも生み出すことをこれまでお伝えしてきました。危機管理という観点では、起こりうるネガティブな可能性を想定することも大切ですが、同時に実現可能なポジティブな未来も思い描き、どうすればそこに到達できるのか考えるほうが建設的です。

あらためて、人口が2000万人になったポジティブな日本の姿を想像しましょう。人口が江戸時代以下になったことで、生活の場は都市から「藩」をモデルとした地産地消コミュニティへと再編成されています。持続可能な社会構造に助けられ、海山をはじめ国土の自然は保たれるようになりました。ＡＩやテクノロジーの発達によって日本中どこにいてもグローバルに仕事ができるため、人々は北から南まで好きな場所に土着し、ゆとりある住環境を手に入れています。里山・里海が身近にあり、大量生産型の農業をやめていったことで、自然のリズムに同調する古くからのリズムはよみがえり、食生活からも旬を感じるようになっています。また、美しい棚田の風景と健やかな食といった「日本的ライフスタイル」を求めて世界各国から定期的に旅人たちがやってきます。暮らすように長期滞在する彼らと地域住民が一体となって耕したり食べたりする、そんな国籍を超えたコミュニティの姿があたりまえとなっています。

自然が身近である一方で、食に対する科学的な研究も日夜進められ、日本の「おいしい」にまつわる技術は世界でも先端的になっています。伝統的な食文化や調味の技術をはじめ、日本の持つ知見は「知財化」という形で維持継承され、人口１００億人となった世界で飢餓などの課題解決に貢献したり、既存の食をもっとおいしく、楽しくしたりすることに活用され、労働人口が減少した社会に安定した外貨収入をもたらしてくれます。

もしこういった社会が実現したら、人口が少なくても幸せに生きていけると思いませんか。このビジョンは机上の空論ではなく、日本が持つ既存の資産を使ってできることばかりです。あとは既に手に入れている「世界一おいしい国」というチカラを、今を生きるわたしたちがどう発展させ、どう磨いて後世に受け継ぐかにかかっています。

食が世界一クリエイティブな仕事に

「時代の転換期」とはたいてい、戦争や災害など外的な要因によってもたらされることが多いものですが、同時に人々の意識が大きく変わってこそ「時代の転換」になり得るものです。そういった場合に、人心に強く働きかけて変化を後押しするのはクリエイティブなパワーです。

たとえばデザイナーのココ・シャネルは、コルセットを使わない動きやすい洋服を生み出し、女性たちを心身共に解放して社会進出を助けました。ベトナム戦争の最中に音楽の力で世界平和を呼びかけ、世論までも動かしたのはミュージシャンのジョン・レノンです。クリエイティブには時代を変える大きなうねりを生んで意識の変革を促す力があります。

そういう意味でこれからの食産業は、もっとクリエイティブになっていくことが求められます。あらゆる産業が食に参入すれば、おのずと新たな共創が生まれていきます。

たとえば農家・料理人・サービスパーソンといった既存の職業に加えて、食の未来をつくる新しい仕事がこれからたくさん生まれてくるでしょう。知財化のために味を数値に置き換えるアナリストなど専門職のほか、最適なオーケストレーションになるよう食材や人材を組み合わせるコーディネーターなど、食の分野におけるクリエイター職も誕生するはずです。

また、食の概念が変われば「シェフ」の在り方も拡張します。星付きレストランで腕を振るう人だけがシェフではなく、地産地消が注目されるＳＤＧｓの時代は、地元の素材で郷土料理をつくる料理上手なお母さんもまたシェフだと言えます。地方に住む漬け物名人のおばあちゃんや小学生バリスタなど、タレント事務所さながらに、個性的な料理人が集まるシェフエージェントができていく、なんてこともあるかもしれません。これまでアートや音楽が担ってきた枠に囚われない自由な発想を、食も担っていく時代になる。わたしはそんな期待を持っています。

ちなみに『ノーマ』のあるデンマークでは農業の地位が高く、世界の情勢にアンテナを張りながら行う知的な仕事、と認識されているそうです。「最近の気候変化と世界の動きを考えると、来年はこう耕そうかな」といったイメージで、日本の農業も知的労働の象徴として変わっていけば、関わる人が増えていくのではないでしょうか。

農業に限らず、「食を仕事にすること＝地域に根づいたコミュニティ視点と世界視点を両方兼ね備えた、最もクリエイティブな働き方」である、という意識改革をこれからどんどん後押ししていきたいところです。

日本の「おいしい」を集める『GOOD EAT CLUB』

2050年の日本が「世界一のおいしい大国」となる姿を思い描きながら、わたしたちも新しいイノベーションを起こそうと動き出しています。そのひとつが、食のコミュニティ型ECサイト『GOOD EAT CLUB』です。

通常ECとはeコマースの略ですが、わたしたちの定義は「エモーション・コマース」。おいしさはもちろんですが、食から生まれる楽しさや嬉しさ、大好きな味を応援したい気持ちといった感情の価値も大切にする、という意味を込めました。

日本各地にある名店の味を再現した商品などを購入できるマーケットでありながら、食に対する愛を語り合えるコミュニティ、お気に入りの店舗や生産者を応援する機能といったコミュニケーションの場を創出。オンラインとオフラインが一体となった「食のマーケット&ファンクラブ」として動き出しています。

この『GOOD EAT CLUB』の狙いは、日本中の「おいしい」を集めて未来に向けたオーケストレーションを生みだすプラットフォームになることです。商品開発やイベントの開催を通じて、農業生産者・加工業者・シェフといった食のプレイヤー同士、さらにはテックの技術者や買い手である消費者までもがつながっていく。その活動が、食産業を水平的につなげていく実例となって、新しい化学反応を生み出していくことを狙っています。また、これまでは経験やカンをもとにつくられていた名店の味を商品化することで、食の技術や知見といった「日本のおいしい資産」が継承されないまま人知れず失われていくことを防ぎ、後世に残す足掛かりにしようと試みています。これからはテックやクリエイティブの活用も推進し、未来の日本に役立つ「知財化」のノウハウを蓄積することも視野に入れています。

さらに、食を愛してやまないフードセレクター「Tabebito（タベビト）」が商品の魅力を紹介することも特徴です。その顔ぶれはプロのフードレビュアーやエディターといった食の専門家もいれば、お笑い芸人や漫画家など様々です。単なる商品説明ではなく、彼らが自身の体験や思い出といったストーリーを通じて語る、という方法は「おいしい」のなかにある多様な喜び、楽しさ、価値観を可視化させます。

実際に『GOOD EAT CLUB』がどんなオーケストレーションを生み出しているのか、いくつか実例をご紹介します。

対馬の食品ロスをおいしく解決

長崎県の対馬地区は、対馬海流やリアス式海岸の地形といった影響から豊富な魚種で知られる漁場です。そこではイスズミやアイゴなど、海藻を食べつくしてしまう魚が問題視され、捕獲のうえで廃棄されていました。この問題に目を付けたのが、料理研究家でありロックバンド『ASIAN KUNG-FU GENERATION』のドラム担当である伊地知潔さん。対馬で開催された音楽フェスへの出演をきっかけにこの街の魅力に取りつかれ、食品ロスという地域の悩みを食で解決できないか、と地元漁協と共同で『対馬GOOD EAT PROJECT』を立ち上げました。

伊地知さんは対馬に伝わる漁師めし「たたっこ」から着想を得て、イスズミやアイゴのすり身に野菜や調味料を入れたオリジナル「たたっこ」のレシピを開発しました。この伊地知さんレシピを製品化し、ECを通じて全国に販売するのが『GOOD EAT CLUB』の担当です。袋から絞り出すだけでお団子状になるため、鍋料理やスープの具材として使えるようになっています。

日本の食の強みをどう受け継ぎ、どう進化させていくのか。そして未来にどういった形で世界貢献できるのか。『GOOD EAT CLUB』の事業活動はその可能性をいち早く探り、育てていく場です。2025年までに1億人に利用してもらうのが現在の目標。未来に種をまく、新しい食のエコシステムになってくれることを願ってやみません。

ここは未来への「問い」をつくる場所

GOOD EAT＝愛すべき食、という価値観を軸とした交流拠点『GOOD EAT VILLAGE』も2021年秋、東京・代々木上原にオープンしました。1階はオンラインとオフラインを融合させた次世代型飲食店『PUBLIC HOUSE Yoyogi Uehara』。メニューとECの商品をシンクロさせてOMO体験を提供するほか、オーケストレーションによって生まれた試作品をテストマーケティングする場としても機能します。フロア内には『GOOD EAT CLUB』の公式ショップも設け、日本中から集めた「愛すべき食」を買うことができます。

地階はその場で試作品製造・製品化までを可能にする『ファクトリー&シェアキッチン』も完備しました。将来的には食に特化したインキュベーションオフィスとして会員制度を設け、メンターによる創業支援を行うこともプランに入れています。ここでは『おいしい未来研究所』と名付けたラボの活動も実施していきます。

『おいしい未来研究所』は、食をキーワードに多様な「問い」が生まれる場になることを目指し、会社組織からは独立した社団法人として、食に関わる人たちと科学やビジネス、クリエイティブといった他分野のゲストとを自由につなげていこうと考えています。未来に向けて日本の食にどのような可能性が拓かれるのか、対談やイベント、ワークショップを通じて一般の参加者と一緒に探る試みで、この本に登場した様々なキーワードがそのまま活動テーマとなります。

たとえば「テック×食の可能性」。欧米からやってくるシーズ型テクノロジーの現状とその活用、日本の町工場にある匠の技と食をどう組み合わせていくか。また、地方都市に眠るポテンシャルを、食をキーワードに発掘する「ディスカバーおいしいジャパン」も重要なトピックです。

もちろん取り上げる話題は地域コミュニティだけではありません。『GOOD EAT CLUB』で紹介している大阪の『和田萬』は、世界各地から集めた有機栽培の胡麻を使い、その個性に合わせて煎り方を変えている胡麻専門店ですが、これをスペシャリティコーヒーのように「胡麻のサードウェーブ」として発信すれば受け取り方が変わり、胡麻に興味を持つ人が増えるかもしれません。こういった食文化の活性化へとつながる、食材の再解釈・再定義もテーマとして扱う予定です。

食の未来をつくる「食のクリエイター」の育成も『おいしい未来研究所』のミッションです。現在多くの料理人は調理の実務に追われ、なかなか店から離れられないという現状があります。しかしこれからは地域コミュニティとの連動や、テックの技術者との関わりなど、他分野・多業種との連携が欠かせなくなるでしょう。匠の技を磨く人の重要性は変わらない一方で「食で地域を創成するフードプロデューサーがいてもいいね」など、新しい視点で食を再編集・アップデートする人材を育て、活躍できる場所と機会をつくる。また「こういう形なら現在の仕事を続けながら食にも関われる」といった、複業・兼業的な働き方の可能性も探っていきます。

そして最後は、最も意見交換が望まれる「おいしい技術の知財化とシェア」です。料理の何をどうデータ化すれば知財化になるか、という技術的なこともポイントですが、食べる楽しさを広げる知財とは何か、など知財化の概念そのものを掘り下げようと考えています。

Tabebito（タベビト）のひとり、食ジャーナリストのマッキー牧元さんは、味わいのひとつひとつを奥行きのある言葉で表現されます。以前「どうしてそんなに深い味の表現ができるのか」と尋ねたところ、香りや食感など「おいしい」を分析しながら味わうための順番があるのだ、と話してくださいました。仮にその「深く味わう技術」が知財となったなら、学校と連携した食育プログラムをつくる、という展開も考えられます。子どもの頃に味覚を磨く勉強をすることで、世界一おいしい国・日本の味覚力が守られ、誰もがより深く「おいしい」を楽しめる。味の解析というと科学的な方面に意識が向きがちですが、そういった食の根源的な豊かさを追求することも、「日本のイートテック」らしい在り方ではないでしょうか。

所属も立場も越えて

研究所という響きには、賢い人たちが集まる固い組織のようなイメージもありますが、わたしの頭の中にある姿は、かつて薩摩藩士や坂本龍馬が集まって、ワイワイと未来を語り合いながら明治維新への戦略を練った寺田屋のような場です。わが村をなんとかしたいと考えている役場の人、若い世代を育成する教育関係者、食の未来に可能性を感じる投資家、もちろん学者やクリエイターまで、産官学を問わず所属や立場を超えて集まり、みんなで新しい価値を創成する場になることを思い描いています。

その他『GOOD EAT VILLAGE』では、地場産野菜のマルシェや、地方の名店とコラボした物販なども開催予定。ここに来れば食べる喜びを発見でき、未来を語り合う仲間たちに出会える、目指しているのはそんな空間です。

カフェ・カンパニーも、『WIRED CAFE』を中心に、これからのビジョンとして「心と体と社会の健康の実現」を掲げ、未来を創る若者たちが2050年に向けてのプランを夢と希望を持って語り合える「企み部屋」として「C・A・F・E」を活用できるようにしていきたい。20年前の初心に戻って取り組んでいこうと考えています。

カフェを始めたあの頃の気持ちに戻って今改めてわたしたちが大切にしたいことを記しておきます。

CO-CREATE

境界を超えて共創する

わたしたちは食べることから生まれるつながりの可能性を信じています。人や社会とのつながり。大地や地球とのつながり。国や宗教を超えたつながり。食を起点につながるライフスタイルをつくります。

UPCYCLE

新たな循環を生み出していく

例えば、捨てられるパン使ってビールをつくったり、おばあちゃんの知恵や匠の技をテクノロジーをつかって継承したり。クリエイティブとテクノロジーとの融合により、未来のための新たな循環を生み出していきます。

COMMUNITY
よき生活者として共に生きる

近所の人からの「おすそわけ」。それは人類が古から培ってきた生活文化です。小さな喜びをシェアすること。ひとりでできないことをみんなで叶えること。共にご飯を食べること。よき生活者として地域や未来への循環に貢献すること。テクノロジーが発展した今、距離を超えたおすそわけのカタチをつくっていきたいと思います。

INCUBATE
未来に向けて耕していく

わたしたちがつくりたいのは食から未来をつくるような生態系。おいしい未来への種をまき、共に育み、生み出すことで未来への土壌を耕し、愛すべき食を未来につなぎます。

30年後君と、再びこの場所で会いたい

わたしは「水商売」という言葉が大好きです。

昔から水があるところに人は集まり、コミュニティがつくられてきました。

人間のカラダも、半分以上は水でできています。そのほとんどが細胞の中ですから、水を大切にすることは環境のためだけではなく、自分のカラダを大切にすることにもつながっていきます。

また、水は雲をつくり、雨となって大地にしみこみ、海へと流れ永遠に循環するものです。もしわたしたちの細胞の中に記憶や思い出が残っていたとしたら、それは水となって世界に溶けていく。ご先祖様の時代からのあらゆる思いを水が受け継いで、素敵なリズムを奏ながら地球をぐるぐると巡り続けているとしたら。そんな「水」のような商売と呼ばれるのはステキなことだ、と思うのです。

「水」が未来へと続いていくように、「水商売」であるカフェもまた未来に続くパスポートであってほしい、というのがわたしの願いです。『WIRED CAFE』や『PUBL

IC HOUSE』にやってきて、仲間と思い思いに話をする高校生や大学生たち。2050年になったとき「そういえば、この起業のアイデアって『WIRED CAFE』でタコライスを食べながら考えたんだっけ。懐かしいなあ」とまた来てもらえる、そんな未来の種が生まれる場所であってほしいし、そういう場所にしなければいけません。

いつ誰とどこで何を食べるか。その選択の連続の中で、僕たちの未来はできている。大きな時代の変化の中でも、人と人とのつながりが、必ず次の未来を生み出す。ひとりではできないことでも、みんなとならできるかもしれない。ひとりの人として、街として、社会として、地球として、これからの時代を、カフェ（CAFE＝Community Access For Everyone）から、みんなで考えていきたい。

「100年先の未来への森をつくろう。」

これは『GOOD EAT VILLAGE』を始めるとき、メッセージとして掲げた言葉です。2020年に鎮座100年を迎えた東京の「明治神宮」には、都会のオアシスとして親しまれる、およそ70万平方メートルに及ぶ広大な鎮守の杜があります。かつて荒れ地のような景観が広がっていたこの場所を、「太古の原生林のような森にしよう」と、3人の林学者の主導のもと、全国から奉献された約10万本の木々が植えられ、3000種もの生物が生き生きと暮らす現在の姿になったのです。

「今」を生きるわたしたちは、ルネサンスに匹敵する「おいしい文化」の中にいるのです。過去から未来へ、今まで積み重ねてきた価値の新しい循環を生み出しながら、「サイレント・デス」化させて荒地にならないように継承し、育み続けられる社会を目指しましょう。自分では見ることのない100年先を思って木を植えてくれた人がいるように、わたしたちも100年先の未来を見つめ、次の世代に残せる森のような生態系をつくらなくては。

「おいしい」が、森のように豊かな生態系を生み、未来の日本で青々とした葉を茂らせる。

100年後の地球が、そんな風景でありますように。

おわりに

旭川・知床・釧路。

いろんなお導きやご縁があって、今回北海道を回りながらこの原稿の最後を仕上げることになりました。今朝は同行してくれている弊社メンバー別府大河くんと一緒に、知床の海岸線から、純白の名峰・羅臼岳を望みながら国立自然公園まで山道をランニング。丘から眺めたオホーツク海はエメラルドグリーンともターコイズブルーとも言える複雑な美しさ。親潮、東樺太海流などの寒流と、暖流・対馬海流やその支流が複雑に混じり合う水産海洋生物の宝庫・北海道。寒流・親潮の影響で栄養塩を豊富に含むこの海は、黒潮のディープブルーとは違う独特の色を持っています。そんな魚たちの大海原を巡る冒険に想いを馳せながらいただく海鮮丼はたまらないのです。またこの大地は、活発な火山帯と日本の国有林の37％を有し、壮大なる山と森が広がる、まるで日本の全ての地形要素を表現したジオラマを見ているようです。

当然ながらその豊かな自然の恵みを受けて、ありとあらゆる農産物が豊富にとれる一大農業地帯です。しかし、その豊かな大地を支えてきた森林がピンチを迎えています。輸出産業としての林業拡大とその結果としての大規模な伐採により、この大地の天然林は最盛期の60％まで落ち込んでしまいました。昨今、官民挙げての森林再生への尽力により70％まで回復するに至っていますが、一度落ち込んだものを復活させていくプロセスは大変な努力が必要であることは想像に難くありません。

僕たちは未来の世代に、おいしいという人類史上稀に見る食文化を、森林の保全のように一本一本大切に守り、育んでいけるでしょうか。北の大地に限らず、ありとあらゆる所で出会えた素敵なおいしい人たちと手を携えて。羅臼岳に輝く朝陽のように、食で日本の未来が、もっともっと素敵に輝いていくことを願っています。

本書を考えるにあたって多大な知見をいただいた、データサイエンティストの宮田裕章さん、リバネス丸さん、農水省の西経子さん、文化人類学者の竹村真一さん。いつも一緒に未来へのワクワク企画をご一緒しているスマイルサークル岩城紀子さん、日本ガストロノミー学会の山田早輝子さん、ナベケンこと渡邉賢一さん。

そして、食の未来を共に語り合ってきたロイヤルホールディングス菊地会長、ワンダーテーブル秋元社長をはじめ、数多くの素晴らしい外食経営者の皆さん。そして「食で未来をつくる」という共通のビジョンを共にしてくれたGYRO HOLDINGS共同創業者の花光さん、中村さん。そして最後に、いつもだらしない僕を支えていただいているロート製薬の山田会長、力石寛夫先生及び、カフェ・カンパニー及びグッドイートカンパニー役員並びに社員、ご家族・関係者の皆さん。そして、本書編集を最後の最後まで楠本のワガママにお付き合いいただいた編集者の山本由樹さん、アキさん、山若さん、黒田さん、平澤さん。皆さんに心より感謝を。皆さんがいなければ、本書は生まれませんでした。本当にありがとうございました。

2021年11月吉日　楠本修二郎

巻末資料：各国の人口とインバウンド数（上）／主要国の食料自給率（下）

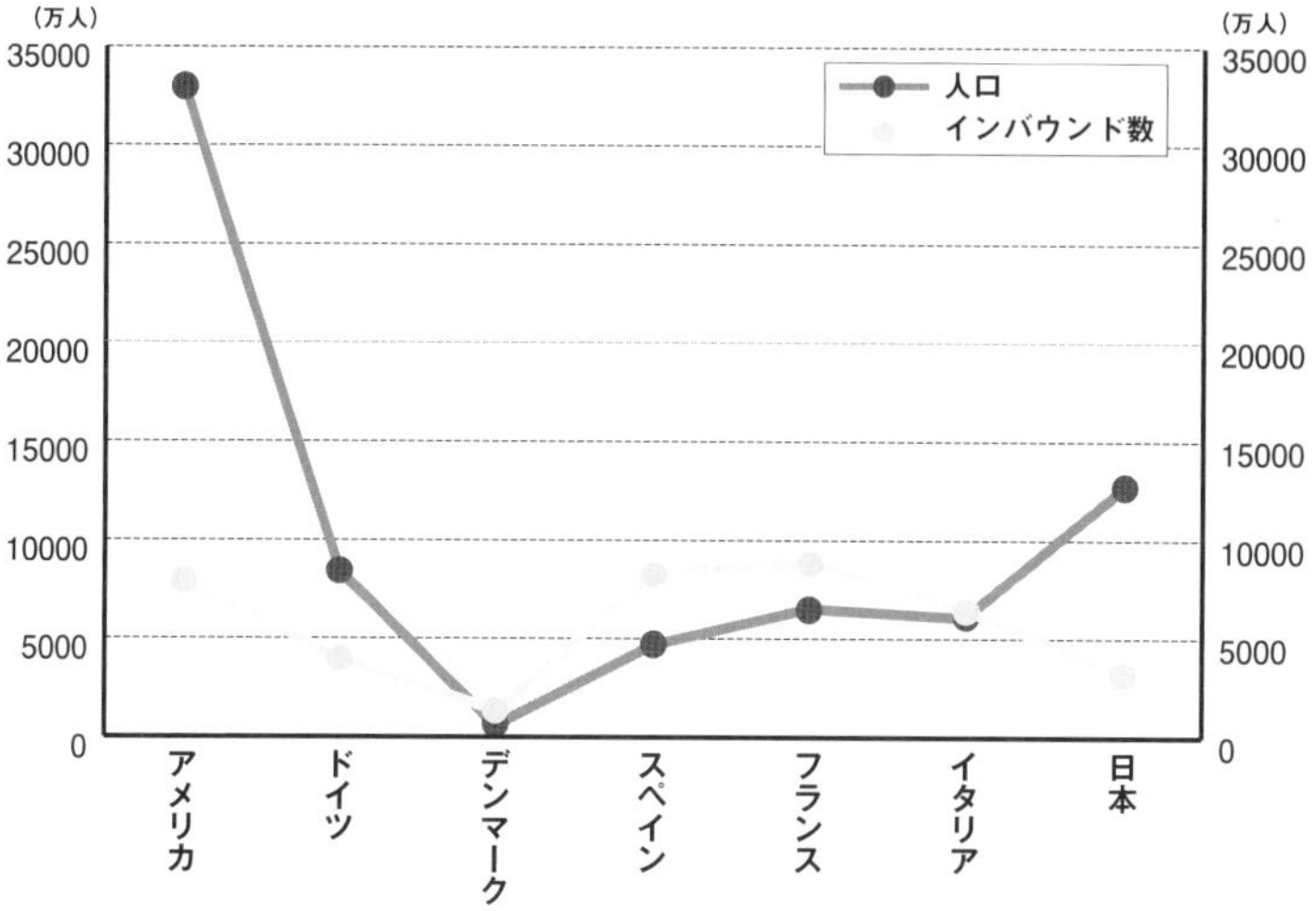

出典：人口は国連「World Population Prospects 2019」より
インバウンド数は国連世界観光機関（UNWTO）「世界各国・地域への外国人訪問者数（2019年 上位40位）」より

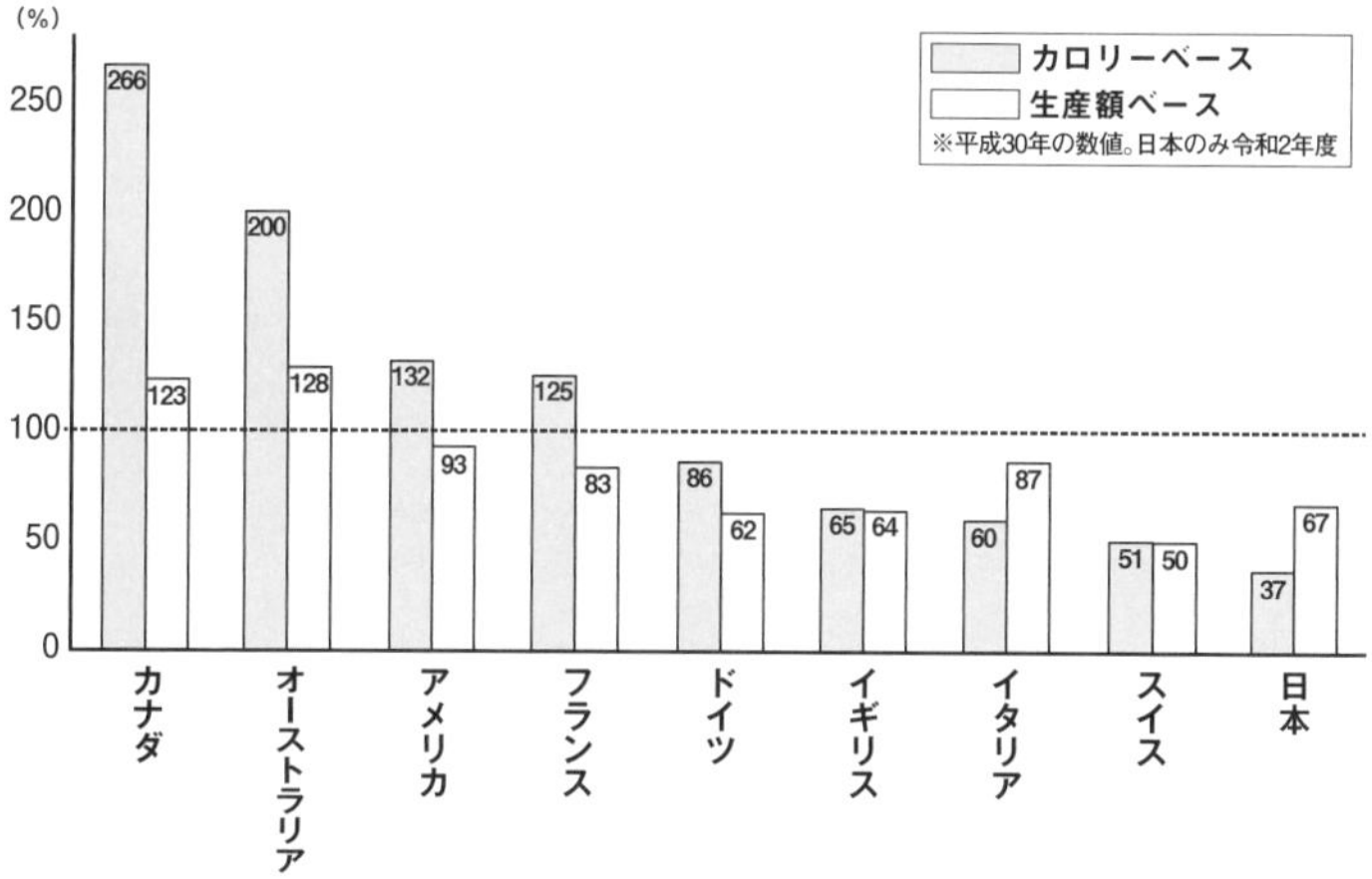

出典：農林水産省「諸外国・地域の食料自給率等について」より
※：農林水産省「食糧需給表」、FAO "Food Balance Sheets"などを基に農林水産省で試算。（アルコール類は含まない）
注1：数値は暦年（日本のみ年度）。スイス（カロリーベース）及びイギリス（生産額ベース）については、各政府の公表値を掲載。
注2：畜産物及び加工品については、輸入飼料及び輸入原料を考慮して計算。

北海道	太平洋、オホーツク海、日本海それぞれに、親潮、東樺太海流などの寒流と、対馬海流及びその支流が複雑に混じり合う水産海洋生物の宝庫。また活発な火山帯と日本の国有林の37%を有する壮大なる山と森が広がる、日本の全ての地形要素をはらんだ豊かな大地。
青森県	日本海、津軽海峡、太平洋の３つの海に囲まれ、地形的にはローム質の東部と津軽地区の西部に分かれる。また、縄文文化の歴史も深く、日本最大八カ所の縄文遺跡群を有する。
岩手県	北上山地を水源として、数多くの河川から届けられる山の栄養分に、北極か海から運ばれる栄養塩と溶存酸素量に富む親潮が混ざり合い、良質な漁場を形成する日本最大のリアス式海岸が特徴。
宮城県	北上山脈から流れる北上川、奥羽山脈から流れる鳴瀬川、名取川、阿武隈山脈から流れる阿武隈川が形成する広大な平野を有する豊かな食文化。海岸線はリアス式海岸の豊かな漁場を有する。
秋田県	奥羽山脈が東側を南北に走り、海岸までに大地と盆地を形成。春夏秋に山の恵みを享受するが冬は豪雪なため発酵などの保存技術が発達。海岸地帯の男鹿半島は日本海に突出し、八郎潟を抱え豊かな湿地の食文化を形成。
山形県	出羽三山から流れ出す庄内川と広大な庄内平野が融合した山と里の食文化。海岸沿いには暖流の対馬海流が流れ込み回遊魚も豊富。
福島県	東に阿武隈高地、西には奥羽山脈や越後山脈が広がり、中央に阿武隈川が流れ、広大な猪苗代湖を有する。会津、中通り、浜通りという、地形や気候風土が全く違う３つの地域により生み出された多様な食文化。
茨城県	関東平野北東部に位置し鹿島灘に接し広大に台地が広がる。南東部には利根川水系の広大な霞ヶ浦・北浦を含めた湿地が広がり豊かな平地大地の食文化を形成。
栃木県	東北から連なる山岳地帯が那須高原と日光連山として豊富な水資源を蓄え、関東平野の水脈を宿す。高低差のある台地から豊富な水資源が湧き出し豊かな里の食文化を形成。雷も多く植物の生育に好影響。
群馬県	火山活動が盛んであり武尊、白根、赤城、榛名など火山性の地質が広がる。利根川と渡良瀬川に挟まれる低平地から関東平野に繋がる。県内のおよそ３分の２は山地と丘陵地。水資源に恵まれ内陸型の食文化を形成。
埼玉県	山地・丘陵地と台地や低地からなる平野部が中心となり県西に秩父山地を望む。県東の大宮台地は荒川、中川、利根川に囲まれ沖積層が厚く堆積する低湿地となり、農業の好条件を備える。
千葉県	県北に下総台地と低地が連なり、関東ローム層が広く分布。県南は上総丘陵、安房丘陵が山々を連ね複雑な地形を形成。利根川流域には手賀沼、印旛沼などの湖沼周辺部が広がり、九十九里低地では二次堆積地形がみられ野菜を中心に農業に適した地形を形成。

東京都	東西約85km、南北約25kmの細長い地域に山地、丘陵、台地、低地を構成。多摩川以北の武蔵野台地、以南に多摩丘陵は農作物の生育に適した地形を形成。多摩川河口部には東京低地が広く分布。島嶼部の伊豆諸島、小笠原諸島は富士火山帯に属する火山島。
神奈川県	三浦半島を境に東縁を東京湾、南縁に相模湾を望に海洋資源が豊富。関東平野の外縁山地と丘陵地、台地が形成され、酒匂川下流には低地と箱根火山地を形成。中央の相模川流域には伊勢原台地を形成し、農作物の生産が盛ん。
新潟県	フォッサマグナの上に存在し糸魚川―静岡構造線と新発田―小出構造線が走り山地、丘陵地、低地からなる。信濃川、阿賀野川、関川、姫川などの河川流域から広がる越後平野は日本最大の面積を有する広大な耕作地を形成し稲作が盛ん。
富山県	富山湾は7大河川が流れ込む絶好の漁場環境。3000m級の険しい立山連峰からの雪解け水や雨水は森林を通って富山湾へ流れる。水は森林で有機質を豊富に蓄えており海ではプランクトンを培養する。
石川県	北部・能登半島は日本海に突出しているため、県全体の海岸線は長く約580kmにおよぶ。能登は低い丘陵地が大部分を占め、内浦は沈降性の入り組んだ静かな海岸線が続く。南部・加賀は白山を最高峰とする山岳地帯と山地帯が発達。
福井県	敦賀木の芽峠を境として「嶺北地域」「嶺南地域」に分けられ、異なった地形的特徴を示すのが特徴。「嶺北地域」は隆起構造。山地・火山地を含む山地帯を展開する。逆に「嶺南地域」は沈降構造の地形を成し海岸線はリアス式海岸の様相を呈する。
山梨県	富士山をはじめ、南アルプス、八ヶ岳などの山山に囲まれる。山に降る雨は78%を占める森林を潤しながら伏流水となり“天然の水がめ”と呼ばれるほど豊富な水をたたえている。国内屈指の名峰に囲まれた名水溢れる地域。また山おろしの風も特徴の一つ。
長野県	海岸から遠く離れた内陸に位置していることから、全県的に内陸特有の気候が明瞭。平地の多くが盆地特有の気候。盆地は夜間に低温となるため、昼と夜の気温の差が大きい。
岐阜県	主に飛騨の山々と美濃・濃尾平野からなる。飛騨川と宮川の流れを太平洋側と日本海側とに分ける「位山分水嶺」、長良川と庄川の流れを分ける「ひるがの分水嶺」等が存在し、複雑な地形を織りなす。
静岡県	遠州灘、駿河湾、相模灘に沿った約500キロメートルの海岸線を南側に、北側は3000メートル級の山々からなる北部山岳地帯が、東西に長い地形を囲む。山地からの川が県土を縦断し、海岸に注ぐ河口部に肥沃な土地を形成する。
愛知県	気候は年間を通して温和で、降雨は夏季に多い。渥美半島と知多半島南部は黒潮の影響を受けて温暖。濃尾平野は木曽川、長良川、揖川の木曽三川により形成された沖積平野である。
三重県	気候は地勢の複雑さから地域差が大きく、伊勢湾や熊野灘沿岸に面した地域は四季を通じて温暖である一方、養老・鈴鹿などの山地は冬季かなりの積雪を見るなど、変化の激しい山地特有の気候。

滋賀県	温暖な近江南部と日本海側気候の湖北および近江西部に別れる。また、琵琶湖周辺は寒暖差が少ないのに対し、湖東、東近江および甲賀の内陸部は昼夜の気温差が大きいなど、多様な地形から様々な変化に富む。
京都府	京都盆地は「京都水盆」といわれ、琵琶湖の水量270億トンにも匹敵する211億トンにも及ぶ伏流水を溜める巨大な水貯蔵庫である。北部は丹後半島地域は日本海側の特性だが、福知山盆地から丹後山地一帯は内陸性など多様性を有する。
大阪府	外洋からの風の通りが少ないため雨が少なく、温暖で雨の少ない瀬戸内気候区に属す。また淀川が真ん中を貫き、瀬戸内の玄関口である為日本の水路交通最大の要所と言える。
兵庫県	中国山地の延長である播但山地と丹波高知が県土の中央のやや北寄りを東西に走り、日本海側と瀬戸内側に大きく分けている。日本海側は山地が直接海に接する沈降海岸が特徴。瀬戸内川側は緩やかに下る地形で, 沖積平野が広がる。
奈良県	吉野町辺りを境として南部は山岳性気候、北部は盆地で内陸性気候。南部の山地は夏に雨が多く、冬はきびしい冬山の様相を呈す。五條市を除く奈良県内のすべての市が北部盆地上に立地する。
和歌山県	県の面積80%は紀伊山脈を中核とする山岳地帯。護摩壇山、高野山、那智山などがあり、熊野川、紀の川など河川も豊富。温暖で雨が多いため樹木がよく育ち、広大な森林が覆う。海岸線は総延長650.7キロメートルにおよぶリアス式海岸で天然の良港に富む。
鳥取県	鳥取砂丘をはじめとする白砂青松の海岸線が続き、南には中国地方の最高峰・大山をはじめ中国山地の山々が連なる。山地の多い地形ながら、三つの河川の流域に肥沃な平野が形成される。
島根県	1,028キロメートルに及ぶ海岸線の美しさと広大な山野は至るところに青い海や緑の山々の自然的景観に富む。古い岩石の削磨された一大侵食高原は良好な自然環境と豊かな資源に恵まれている
岡山県	中国山地と瀬戸内海に挟まれた南部の平野地帯は典型的な瀬戸内海式気候で温暖少雨であり積雪は極稀。一方、北部の中国山地沿いは日本海岸気候に属す豪雪地帯である。
広島県	県北部の中国山地は東西に長く連なり、それを源流とする河川は5水系を有す。中国山地と平行に形成された3段階の階段状地形が特徴的。
山口県	全体的な地形は三角形のような形をしており、その周囲は日本海、関門海峡、瀬戸内海に囲まれ、東側を除く三方が海に囲まれているため漁場としても優良である。
徳島県	県域の約8割が山地で占められ、中央部には四国山地が、北部には讃岐山脈がそれぞれ東西に走り、この両山地に挟まれる谷間が徳島平野。渦潮で有名な独特の海流が豊富な漁場を生んでいる。

香川県	北部の殆どが四国最大で県の1/3を締める讃岐平野となる。讃岐山脈と瀬戸内海に挟まれ、北に向かって緩やかに傾斜する平野である。いりこで有名な伊吹島、そうめんやオリーブが有名な小豆島を有す。
愛媛県	四国最高峰の石鎚山天狗岳を背景に、5本延びた一級河川が流れるが、河口を擁する河川は肱川と重信川の2本となる。豊後水道を臨み、山の幸と海の幸がとれるエリア。
高知県	黒潮食文化圏の中心。北は四国山地の雨の恵み豊かで、太平洋に面した東西に延びた四国最大の平野と海岸線を有する。ダイナミックな地形の東の室戸側と、仁淀川や四万十川有する砂浜の西側との対比もおもしろい。
福岡県	九州北東部に位置し、北面に玄界灘・響灘、東面に周防灘、南西には有明海がそれぞれ接する。地質学的には中部～四国地方から続く中央構造線の北側、西日本内帯に属す。
佐賀県	北を玄界灘、南を有明海に接するため、多種多様な海岸線を持つ。また九州最大の筑後川など多くの河川に恵まれており、同じく九州最大の筑紫平野を有する農業エリア。
長崎県	6800の島がある日本の14%、971の島を有する。黒潮系の対馬暖流が流れ込み、五島列島や壱岐対馬などの豊富な漁場を持つ。また卓袱料理など大陸からの影響を受けた独特な食文化も見られる。
熊本県	阿蘇山を背に抱き、肥沃な大地と豊かな伏流水を有する肥沃な農業エリア。また、天草をはじめとするユニークな島々に囲まれた地域でもあり、多様な食文化を持つ。
大分県	温泉量は源泉数・湧出数共に全国一を誇る温泉県。温暖な気候の瀬戸内型、リアス式海岸が続き豊後水道を臨む南海型、雷雨の多い九州山地型に分類されるなど、ジオ的な多様性に富む。
宮崎県	一年を通じて日照時間の長い温暖な気候。そして九州山地からの水の恵みと広大な宮崎平野を有する豊かな大地から成る明るくて豊かな地域。北部にはリアス式海岸が広がる。
鹿児島県	与論や奄美、屋久島などの多様な島々が連なり、桜島や霧島などの火山郡が連なる地形が特徴。特に霊峰霧島に降り注ぐ霧や雨がカルデラの大地に浸透し、豊富なミネラルを抱く清浄な伏流水に。
沖縄県	黒潮の流れによる日本とアジアの結接点に位置する。また、北緯25度エリアにあるため、コーヒーやパイナップルなどの南国産品も生産される。

楠本修二郎（くすもと しゅうじろう）

カフェ・カンパニー株式会社 代表取締役社長
株式会社グッドイートカンパニー 代表取締役CEO
1964年福岡県生まれ。早稲田大学政治経済学部卒業後、リクルートコスモス、大前研一事務所を経て、2001年カフェ・カンパニーを設立。「コミュニティの創造」をテーマに国内外でカフェなどの飲食店を中心とした店舗の企画・運営、地域活性化事業、商業施設プロデュース等を手掛ける。2021年、NTTドコモとともに「日本の愛すべき食を未来につなぐ」というビジョンを掲げ新たな食のエコシステムの構築を目指し、グッドイートカンパニーを設立。2010年より内閣府、経済産業省、農林水産省等の政府委員、2011年より東日本の食の復興と創造の促進及び日本の食文化の世界への発信を目的として発足した東の食の会代表理事等も歴任。

株式会社グッドイートカンパニー

日本の食を愛するすべての人の思い・体験・技術を未来につなぎ、世界中へ拡げ、食産業のエコシステムの構築を目指し、食のコミュニティ型EC「GOOD EAT CLUB」やオンラインとオフラインが融合するリアル拠点「GOOD EAT VILLAGE」を運営。
https://goodeatcompany.com/

食のコミュニティ型EC「GOOD EAT CLUB」

リアル拠点「GOOD EAT VILLAGE」

一般社団法人 おいしい未来研究所

「どうしたら、おいしい未来をつくれるだろう？」という問いを軸に、日本のおいしい文化・技術・知恵を知的資産として顕在化し、未来につなぐことを目的に設立されたコミュニティ＆研究所。トークショーやワークショップなどのイベントも開催。
https://oishii-mirai.com

カフェ・カンパニー株式会社

「CAFE＝Community Access For Everyone（食を通じたコミュニティの創造）」を理念に「WIRED CAFE」などの飲食店やサービスエリアなどを企画・運営する他、商業施設等のプロデュースや地域活性化事業も手掛ける。
https://www.cafecompany.co.jp/

世界《せかい》の転換期《てんかんき》 2050年《ねん》への新《しん》・日本型《にほんがた》ビジョン

おいしい経済《けいざい》

著者　楠本修二郎《くすもとしゅうじろう》・著

2021年12月16日　初版第一版発行

協力　株式会社グッドイートカンパニー＋カフェ・カンパニー株式会社
企画・構成　編
デザイン　小口翔平＋三沢稜＋須貝美咲（tobufune）
校正　東京出版サービス
編集協力　シンクロナス編集部
発行人　菅原聡
発行　株式会社JBpress
〒105-0021
東京都港区東新橋2丁目4-1　サンマリーノ汐留6階
電話　03-5577-4364
発売　株式会社ワニブックス
〒150-8482
東京都渋谷区恵比寿4-4-9　えびす大黑ビル
電話　03-5449-2711
印刷・製本所　近代美術株式会社
DTP　株式会社三協美術

ISBN 978-4-8470-7117-1 C0033